D0293277

Roue de secours pour l'humain

Catalogage avant publication de Bibliothèque et Archives Canada

Legault, Paul Hubert

Roue de secours pour l'humain
(Collection Psychologie)
ISBN 978-2-7640-1194-2

1. Dépassement (Psychologie). 2. Gestion du stress. 3. Perception de soi. 4. Perception sociale. I. Titre. II. Collection: Collection Psychologie (Éditions Quebecor).

BF637.O94L43 2008 158.1 C2008-940931-0

Une compagnie de Quebecor Media
7, chemin Bates
Montréal (Québec) Canada
H2V 4V7

Dépôt légal: 2008
Bibliothèque et Archives nationales du Québec

Pour en savoir davantage sur nos publications,
visitez notre site: www.quebecoreditions.com

Éditeur: Jacques Simard
Conception de la couverture: Bernard Langlois
Illustration de la couverture: Veer
Conception graphique: Sandra Laforest
Infographie: Claude Bergeron

DISTRIBUTEURS EXCLUSIFS:

- Pour le Canada et les États-Unis:
  MESSAGERIES ADP*
  2315, rue de la Province
  Longueuil, Québec J4G 1G4
  Tél.: (450) 640-1237
  Télécopieur: (450) 674-6237
  * une division du Groupe Sogides inc.,
  filiale du Groupe Livre Quebecor Média inc.
- Pour la France et les autres pays:
  INTERFORUM editis
  Immeuble Paryseine, 3, Allée de la Seine
  94854 Ivry CEDEX
  Tél.: 33 (0) 4 49 59 11 56/91
  Télécopieur: 33 (0) 1 49 59 11 33

  Service commande France Métropolitaine
  Tél.: 33 (0) 2 38 32 71 00
  Télécopieur: 33 (0) 2 38 32 71 28
  Internet: www.interforum.fr

  Service commandes Export – DOM-TOM
  Télécopieur: 33 (0) 2 38 32 78 86
  Internet: www.interforum.fr
  Courriel: cdes-export@interforum.fr
- Pour la Suisse:
  INTERFORUM editis SUISSE
  Case postale 69 – CH 1701 Fribourg – Suisse
  Tél.: 41 (0) 26 460 80 60
  Télécopieur: 41 (0) 26 460 80 68
  Internet: www.interforumsuisse.ch
  Courriel: office@interforumsuisse.ch

  Distributeur: OLF S.A.
  ZI. 3, Corminboeuf
  Case postale 1061 – CH 1701 Fribourg – Suisse

  Commandes: Tél.: 41 (0) 26 467 53 33
  Télécopieur: 41 (0) 26 467 54 66
  Internet: www.olf.ch
  Courriel: information@olf.ch
- Pour la Belgique et le Luxembourg:
  INTERFORUM editis BENELUX S.A.
  Boulevard de l'Europe 117,
  B-1301 Wavre – Belgique
  Tél.: 32 (0) 10 42 03 20
  Télécopieur: 32 (0) 10 41 20 24
  Internet: www.interforum.be
  Courriel: info@interforum.be

Gouvernement du Québec – Programme de crédit d'impôt pour l'édition de livres – Gestion SODEC.

L'Éditeur bénéficie du soutien de la Société de développement des entreprises culturelles du Québec pour son programme d'édition.

Nous reconnaissons l'aide financière du gouvernement du Canada par l'entremise du Programme d'aide au développement de l'industrie de l'édition (PADIÉ) pour nos activités d'édition.

Paul Hubert Legault

Roue de secours pour l'humain

L'harmonisation des 3 C :
cerveau, cœur et corps

LES ÉDITIONS
Quebecor
Une compagnie de Quebecor Media

Remerciements

Je tiens à remercier Mélina Antoniou. Amie, partenaire d'affaires, psychologue, critique littéraire et chef en cuisine vivante, elle a su me donner une rétroaction précieuse sur l'aspect psychologique du contenu de ce livre.

Merci également à Manon Simard, une amie, pour les commentaires importants qu'elle m'a faits tout au long de la conception de cet ouvrage.

Enfin, je tiens à souligner le travail de tout le personnel des Éditions Quebecor.

Note au lecteur

Je respecte les médecines traditionnelles. Je tiens donc à éviter toute confusion : les techniques et les modes de vie proposés dans ce livre ne doivent en aucun cas remplacer les médicaments que vous prenez ou les traitements que vous recevez. Seul un professionnel de la santé peut intervenir dans votre dossier médical. Les notions qui sont proposées ici doivent seulement constituer un ajout dans votre vie.

Les noms, les âges et les autres caractéristiques des personnes mentionnées dans les pages suivantes ont été modifiés dans le but de protéger leur identité. Toute ressemblance avec qui que ce soit ne serait que pure coïncidence.

Attention aux gens souffrant d'allergies ! Ce livre peut contenir des traces d'humour. Nous préférons vous en avertir.

Avant-propos

À l'origine, ce livre ne devait être qu'une carte de visite pour promouvoir les conférences, les ateliers et les séminaires que je donne dans certains milieux d'affaires et auprès du grand public. Mais il s'est vite transformé en une substance d'écriture très stimulante et mon but en un désir de transmettre ce que je suis et, surtout, de faire connaître un sujet qui me tient à cœur.

Je me suis alors concentré sur le contenu, en utilisant une approche personnalisée, une couleur qu'aucun autre n'avait donnée jusqu'à maintenant au sujet du stress, encore très d'actualité. Je veux maintenant offrir au lecteur des trucs et des astuces qui lui serviront dans des moments critiques de sa vie quotidienne: les pertes, les deuils, les décisions importantes, les frustrations soudaines, les lourdes responsabilités, etc.

Rédiger un livre constituait un beau défi, car il est plus facile pour moi de prendre la parole devant un public que de me retrouver seul pour écrire. Peu d'auteurs ont la capacité de transmettre leur pensée et de toucher les gens à la fois sur papier et de vive voix. Jamais je n'avais conçu un tel projet avant aujourd'hui, mais j'ai accepté avec grand plaisir de dépasser mes limites.

Les objectifs de cet ouvrage sont les suivants :

- vous offrir un portrait de ce que nous sommes sous un angle psychosocial ;
- vous permettre, à l'aide de moyens efficaces, de constater votre état intérieur et extérieur ;
- vous proposer ce qu'il y a de mieux dans la gestion de vos performances et de votre stress.

Si ces objectifs sont atteints, vous ne pourrez que vous sentir mieux, dans tous les aspects de votre vie. De plus, grâce à des outils simples et efficaces, vous pourrez mieux vous transformer en tout temps, peu importe où vous serez.

Ce livre s'adresse à vous :

- si vous voulez savoir et que vous n'avez jamais reçu un tel contenu ;
- si vous avez vu la table des matières et qu'elle vous a inspiré ;
- si, une fois dans votre vie, vous avez eu à vivre une tempête intérieure et que, au lendemain, vous avez rêvé d'un voyage initiatique au bout de vous-même ;
- si vous savez déjà, mais que vous n'avez jamais lu ce point de vue ;
- si vous m'avez remercié et que j'ai pu vous aider.

Chapitre 1

La perte des repères

Nous nous y perdons dans nos repères! Les modèles de base sur lesquels étaient fondés nos codes, nos règles et nos normes ne tiennent plus la route. Dans nos sociétés modernes, nos références ne sont plus là pour nous guider dans plusieurs aspects de notre vie, par exemple le couple, la météo, la Bourse, l'éducation, l'emploi et les entreprises.

Le couple

Malgré tous les problèmes relationnels de l'époque, nos grands-parents et nos parents vivaient en couple dans la stabilité, comme le clergé le prescrivait. Selon le sacrement du mariage, on était en couple jusqu'au décès de l'un des époux. Aujourd'hui, ce n'est plus seulement la mort qui nous sépare, on a bien d'autres raisons. Nos repères ne fonctionnent plus.

Nous voulons vivre l'amour. Nous sommes à la recherche de la chimie, de l'âme sœur, des ressemblances ou, au contraire, des différences, selon nos choix conscients ou inconscients. Mais nous ne réussissons pas à consolider nos expériences de vie, du moins pour une grande partie d'entre nous. Nous consommons les relations amoureuses comme tout le reste, et si la tendance se maintient, le couple sera de plus en plus éphémère.

Les statistiques sont éloquentes: 50% des couples se séparent, puis recommencent, avec toute la bonne volonté du monde et une expérience derrière eux, mais en vain. C'est donc dire que cette notion est en évolution, mais qu'elle semble toujours être une priorité. Ce n'est pas un hasard si autant d'humoristes au Québec font du couple le sujet numéro un de leurs spectacles.

La météo

On ne peut plus se fier au temps. On fracasse des records, on subit des désordres et des variations hors du commun. Les agents de voyages n'osent plus se prononcer sur la stabilité de la météo dans certaines destinations populaires. Les scientifiques parlent de changements climatiques beaucoup plus rapides que prévu, en raison de l'entropie. Cette situation nous amène à composer au jour le jour avec le climat de l'endroit où nous sommes. Nous devons nous adapter, et ce n'est qu'un début!

La gravité et la répétition des désastres naturels devraient, je l'espère, nous faire réfléchir au point de modifier considérablement notre mode de vie. C'est la planète qui réagit, et nous devons ajuster nos comportements en conséquence.

La Bourse

Même s'il s'agit d'une structure de spéculations, il n'en demeure pas moins qu'on pouvait, jusqu'à récemment, se fier à certains rendements et à la stabilité des actions à la Bourse. Aujourd'hui, les marchés bougent beaucoup plus vite qu'il y a dix ans. Nous devons donc nous adapter encore plus qu'avant aux variations boursières. La mondialisation et les krachs font vivre toutes sortes de stress aux investisseurs.

L'éducation

Dans les années 1990, le décrochage scolaire au Québec était plus faible que maintenant. En 2007, il atteignait 36 %, selon le ministère de l'Éducation, du Loisir et du Sport du Québec, et la situation ne semble pas aller en s'améliorant. Par ailleurs, l'épuisement professionnel chez les enseignants ne cesse d'augmenter dans plusieurs pays industrialisés.

L'emploi

Dans nos sociétés modernes, le travail est un des domaines les plus importants de notre vie. Dans une conversation avec un inconnu, une des premières questions posées est généralement : « Que faites-vous dans la vie ? » C'est comme si on n'existait qu'à travers un emploi, sinon on n'est rien. Il y a non seulement une valorisation par le travail, mais aussi une identification de l'individu. Si vous êtes à la retraite, remarquez la façon dont vous êtes traité : vous perdez une grande partie de votre identité.

Or, le marché du travail s'est modifié au fil du temps. Les entreprises n'offrent plus la sécurité d'emploi à vie, et cette situation est une source de stress. Nous devons donc modifier notre perception de ce que nous considérons comme le meilleur emploi. Nos repères sont mis à l'épreuve, et nous ne pouvons plus nous consolider sur la base d'un travail assuré. Au lieu de stagner dans un poste, l'employé cherche ailleurs, pour mieux grandir, développer ses compétences, relever des défis et augmenter son salaire.

Aujourd'hui, les entreprises portent beaucoup plus attention au savoir-être qu'au savoir-faire. Bien sûr, les diplômes leur garantissent l'acquisition des connaissances. Mais le savoir-être devient plus important pour l'employeur, car si vous ne pouvez pas transmettre votre savoir, cela peut entraîner des pertes importantes pour lui.

Les entreprises

Les propriétaires, les dirigeants et les membres des conseils d'administration des entreprises vivent des stress énormes et, à leur tour, en font subir aux cadres supérieurs, intermédiaires ainsi qu'aux employés. Certains d'entre eux imposent même cette pression à leur clientèle. Beaucoup de statistiques provenant des pays du G8, des chiffres alarmants mais réels, démontrent clairement les causes du stress et les ravages qu'il fait dans le domaine professionnel.

Selon l'Ordre des psychologues du Québec (OPQ), les principales causes de complications au travail sont les suivantes :

- surcharge de travail : 18 % ;
- problèmes liés au vécu amoureux : 16,8 % ;
- problèmes avec les patrons : 12,6 % ;
- difficulté d'adaptation au travail : 8,9 % ;
- problèmes avec des collègues : 8,6 %.

Voici d'autres chiffres à ce sujet :

- 30 % des indemnités versées par les assurances sont liées à des problèmes de santé mentale, selon l'Association canadienne des compagnies d'assurances de personnes (ACCAP).
- 79 % des employeurs canadiens disent que la santé mentale est la principale cause d'invalidité chez leurs employés, selon Watson Wyatt, une société spécialisée dans la gestion du capital humain et la gestion financière.
- 7,4 millions de dollars d'indemnités de remplacement de revenu ont été versés par la Commission de la santé et de la sécurité du travail (CSST) pour des lésions psychiques en 2002, comparativement à 1,5 million en 1990.
- 50 % des personnes interrogées en 2001 dans le cadre de l'Enquête canadienne sur la santé mentale ont dit que leur milieu de travail était une source majeure de stress, comparativement à 39 % en 1997.

- 45 % des employés se disaient satisfaits de leur travail en 2001, comparativement à 62 %, selon Santé Canada. Si la tendance se maintient, la proportion sera de 22 % seulement en 2011.
- En examinant 181 postes différents dans 121 organisations à travers le monde, on a trouvé que 67 % des habiletés essentielles à une performance efficace sont des compétences émotionnelles (Rosier).
- La cause première de l'échec des cadres supérieurs est le manque de contrôle de leur impulsivité (Walter Clarke, 1996).

L'intelligence rationnelle

Nous devons donc inventer de nouvelles références, de nouvelles balises dans plusieurs aspects de nos vies. Par réflexe, nous sommes tentés d'aller à l'extrême pour ensuite revenir à un certain équilibre.

De cette façon, l'intelligence rationnelle devrait être remplacée par l'intelligence intuitive, une forme d'intelligence que nous avons négligée pendant des siècles et qui revient en force sans qu'on l'ait choisie, mais parce que nous y sommes obligés. Une force s'active vers l'évolution de ce que nous sommes. L'humain doit s'ajuster et s'harmoniser avec son environnement ; les deux prochaines décennies seront déterminantes pour nous tous. Alarmiste ou réaliste ? Peu importe, mieux vaut prévenir que guérir.

Des vies de contradictions

Nous avons tout ce qu'il faut pour être heureux, mais, de façon générale, c'est le contraire qu'on observe.

- Nous avons plus d'argent à dépenser, mais nous possédons moins. Nous achetons beaucoup plus qu'avant, mais nous apprécions moins ce que nous acquérons. Nous habitons de belles grandes maisons, mais nous faisons moins d'enfants (selon Statistique Canada, la famille actuelle compte en moyenne 2,3 personnes).

- Nous avons plus de connaissances, mais moins de jugement. Il y a plus de spécialistes (dans le domaine médical, par exemple), et pourtant les problèmes sont plus nombreux. Nous sommes moins en santé physiquement et mentalement que nos parents. Il faut reconnaître cependant que nous vivons plus longtemps qu'avant, mais la maladie est plus présente.
- Notre consommation d'alcool, de tabac et de drogues est de plus en plus élevée, mais nous ne sommes pas plus heureux pour autant. Ma suggestion : laisser le rire monter deux fois plus souvent que toutes les autres émotions réunies.
- La fatigue est de plus en plus présente, au point où nous avons de la difficulté à gérer cette réalité. Nous regardons trop la télévision et nous utilisons abusivement l'ordinateur. Nous mangeons des aliments préparés rapidement, mais notre digestion devient de plus en plus lente. Ma suggestion : cuisiner davantage et se recueillir plus fréquemment.
- Nous avons multiplié nos possessions, mais nous avons perdu nos valeurs personnelles. Dans nos vies, nous sommes plus souvent contrariés que joyeux, à cause de notre entourage ou de différentes situations négatives. Ma suggestion : aimer deux fois plus que tous les autres sentiments réunis.

De l'individu à la planète

> Ce que nous sommes sur le plan individuel, nous le reproduisons sur les plans familial, social, national, international et planétaire.

Voilà pourquoi nous nous y perdons dans nos repères, et il est tout à fait normal que cela provoque du stress dans les sociétés industrialisées, mais également dans certains autres pays moins développés. Si vos valeurs personnelles, sociales et traditionnelles ne répondent plus, vous propagez une tension non seulement dans votre corps, mais aussi dans tout votre entourage. C'est l'effet papillon.

Tantôt subtiles, tantôt plus évidentes, les manifestations du stress ont des conséquences sur le plan collectif, beaucoup plus qu'on ne peut l'imaginer. Avez-vous déjà assisté à un incendie, à une fusillade ou à une tuerie ? Ces événements dramatiques de plus en plus fréquents sont très marquants pour ceux qui les ont vécus. Imaginez leur effet dans votre corps. Il semble que des repères comme la quiétude et la paix s'effritent de plus en plus.

Le monde nous donne une vision macro de ce que nous sommes intérieurement, dans le meilleur comme dans le pire. Que voyez-vous de plus frappant à l'échelle planétaire ? Les changements climatiques nous démontrent bien que, sur le plan personnel, nous vivons des écarts de température. Nous passons du chaud au froid dans nos émotions et celles-ci nous inondent. Nous vivons de plus en plus de colère, comme la Terre. Nous sommes étourdis par des activités qui ressemblent à des tornades, pour éviter de nous regarder nous-mêmes, car c'est trop douloureux.

En observant nos comportements et nos contradictions, la façon dont nous gérons nos conflits de même que l'état de la planète, nous pouvons nous poser cette question : si la tendance se maintient, comment et, surtout, combien de temps l'humain pourra-t-il vivre de la sorte ?

Cette réflexion a pour but de mettre la table pour mieux préparer l'avenir. Il est difficile de se voir lorsqu'on est soi-même dans une situation. Je dois donc devenir un observateur. Je me sers alors de ce qui est facile à étudier, de ce qui est bien visible, et la planète est bien assez grosse pour que je puisse l'examiner, non ?

En d'autres termes, la trace que l'humain laisse sur la planète n'est en grande partie que le reflet de son intérieur.

Chapitre 2

Le stress

Dans les années 1940, on parlait déjà du stress, entre autres en raison de la révolution industrielle et de la prévision de la fin du monde causée par une météorite qui devait anéantir la Terre. C'est peut-être de là que vient l'expression connue: «S'en moquer comme de l'an quarante.» Toujours est-il qu'aujourd'hui le stress est omniprésent dans nos vies.

> Le stress, c'est comme l'intuition. Au début,
> on ne sait pas comment le reconnaître.
> Après, on ne sait pas quoi en faire.
> Maintenant, on en sait déjà plus.

Nous avons souvent une perception très négative du stress, et avec raison, car l'ensemble des écrits sur le sujet fait état des ravages qu'il provoque chez l'humain. Mais en fait, il existe deux types de stress. Si la tension est gérée consciemment à travers la perception et la pensée, le corps s'adaptera aux agents stressants. C'est le stress positif (stimulant), qui équilibre nos vies. Dans cas contraire, le corps absorbera encore plus de pression.

Mais qu'en sera-t-il du stress dans vingt ans? Lorsque je pose cette question en atelier, je reçois généralement deux réponses opposées: soit les humains reprendront le contrôle de leur stress, soit ce sera le chaos total. Il n'y a pas de demi-mesure. Alors, que ferez-vous de votre stress d'ici ce temps?

Il incombe à chaque individu de reprendre le contrôle de sa vie, exactement comme on doit le faire avec l'environnement.

Qu'est-ce que le stress?

Le stress est l'ensemble des réactions de l'organisme (positives ou négatives) à une demande d'adaptation. Il génère des réactions physiologiques qui se manifestent lorsqu'on est confronté à une situation, à un événement ou à une personne. C'est un réflexe que le corps développe contre toute forme d'agression.

Le stress peut stimuler des forces physiques ou mentales, par exemple modifier spontanément nos rythmes cardiaque et respiratoire. Comme chez les animaux, il nous prévient d'un danger et nous prépare à réagir. Avez-vous remarqué que lorsque nous ne savons pas comment nous comporter dans certaines situations, notre corps fige sur place, comme les bêtes dans des conditions similaires? Mais le côté sombre de cette réponse de l'organisme, c'est qu'elle peut nous faire perdre notre quiétude intérieure et déranger nos habitudes.

Nous devons de plus en plus gérer les demandes stressantes de notre environnement et y réagir en élaborant des comportements appropriés. Beaucoup de chercheurs s'intéressant au stress s'accordent pour dire qu'il a un rôle à jouer dans le développement de notre potentiel personnel de réponse.

Des événements générateurs de stress

L'échelle de Holmes recense les événements d'importance qui créent le plus de tension dans nos vies. Chacun a reçu un nombre de points correspondant à son impact comme source de stress. J'attire votre attention sur les situations positives. Elles peuvent aussi nous affecter dans notre quotidien, mais nous en sous-estimons souvent l'impact sur notre système nerveux.

Parcourez la liste suivante et additionnez les points attribués aux événements que vous avez vécus durant les deux dernières années.

Événement	Points
Décès du conjoint	100
Divorce	73
Séparation du conjoint	65
Séjour en prison	63
Décès d'un proche parent significatif	63
Maladie ou blessure	53
Mariage	50
Perte d'emploi	47
Réconciliation avec le conjoint	45
Retraite	45
Modification de l'état de santé d'un membre de la famille	44
Grossesse	40
Difficultés sexuelles	39
Ajout d'un membre dans la famille	39
Changement dans la vie professionnelle	39
Modification de la situation financière	38
Mort d'un ami proche	37
Changement de carrière	36
Modification du nombre de disputes avec le conjoint	35
Hypothèque supérieure à un an de salaire	31
Saisie d'hypothèque ou de prêt	30
Modification des responsabilités professionnelles	29
Départ de l'un des enfants	29
Problème avec les beaux-parents	29
Succès personnel éclatant	28
Début ou fin d'emploi du conjoint	26
Première ou dernière année d'études	26
Modification de ses conditions de vie	25
Changement dans ses habitudes personnelles	24
Difficultés avec le patron	23
Modification des heures et des conditions de travail	20
Changement de domicile	20
Changement d'école	20
Changement du type ou de la quantité de loisirs	19
Modification des activités religieuses	19

Modification des activités sociales	18
Hypothèque ou prêt inférieurs à un an de salaire	17
Modification des habitudes de sommeil	16
Modification du nombre de réunions familiales	15
Modification des habitudes alimentaires	15
Voyage ou vacances	13
Noël	12
Infractions mineures à la loi	11

Si d'autres événements stressants se sont produits au cours des vingt-quatre derniers mois, notez-les en leur accordant une valeur identique à celle de situations comparables. Par exemple, en termes de stress généré, une grève pourrait être comparée à la modification des conditions de vie, et un conflit avec des collègues de travail à des problèmes avec les beaux-parents. Ajoutez leur valeur à celle du total de vos points.

Si votre pointage dépasse 150, vous êtes en surcharge de stress.

Les indices de stress

Nous ne sommes pas tous égaux devant le stress. Ses conséquences physiques et psychologiques sont très variables d'un individu à l'autre. Il est donc utile de les repérer, car ce sont des signaux d'alarme qui servent d'avertissement. Il faut également tenir compte de la perception que l'on a des événements vécus. Celle-ci peut faire toute la différence dans la gestion de la réaction. Si, par exemple, je maintiens la croyance que la perte d'un être cher est la fin de tout pour moi, la gestion de ce stress sera plus difficile. Voici une liste des indices de stress.

Indices psychologiques

- Sentiment d'échec
- Incapacité de ressentir une émotion
- État de tristesse

- Crises de larmes
- Prise de décisions difficile
- Peur de la maladie
- Peur des autres
- Attitude cynique
- Inquiétude et soucis permanents

Indices physiologiques

- Irritabilité et insatisfaction
- Sensation de tension interne et impossibilité de se détendre
- Comportement agressif et querelleur
- Agitation excessive
- Ralentissement ou fatigue intellectuelle
- Difficultés de concentration

Indices physiques

- Fatigue
- Maux de tête
- Insomnie
- Lombalgie
- Troubles digestifs
- Essoufflement
- Rhumes persistants
- Perte ou prise de poids

La route, génératrice de stress

Dans nos sociétés modernes, une des situations quotidiennes les plus stressantes, là où nous vivons toutes sortes d'émotions, comme la colère, la frustration, la déception, la rancune, la rage et même, dans certains cas, l'envie de tuer, est le trafic automobile aux heures d'affluence. Dans ces moments, nous pouvons tester notre niveau de conscience, de tolérance et d'impulsivité.

Il existe dans la circulation toutes sortes de situations qui provoquent des réactions agressives. Les intersections sont particulièrement stressantes. Lorsque vous devez tourner à gauche et que l'automobiliste qui vous fait face doit, au même moment, faire la même manœuvre, la situation est parfaite pour générer les pires émotions, surtout si vous êtes déjà stressé par un retard ou la fatigue.

Je lance même le défi aux gourous de se prêter à l'expérience suivante: ils ne tiendront pas longtemps dans cette meute d'émotions négatives.

Vous roulez. Vous êtes en retard à un rendez-vous très important dont vous rêvez depuis longtemps. Soudain, quelqu'un vous coupe le chemin de manière agressive.

Réaction

Vous êtes dans un état indescriptible: colère, furie et rage se mêlent à d'autres émotions encore.

Réaction en chaîne

Votre niveau de stress grimpe. L'automobiliste derrière vous klaxonne, car vous le ralentissez.

Justification

Toute émotion justifiée ou générée par le non-respect des règlements et de nos principes nous emprisonne davantage.

Pendant ce temps...

Le conducteur qui vous a coupé le chemin est ailleurs. Il n'est peut-être même pas conscient de la répercussion du geste qu'il a fait: vous rendez-vous compte de cela? Il en va de même pour toutes nos émotions, qu'elles soient justifiées ou non.

Êtes-vous perfectionniste ?

Une des grandes causes de l'épuisement professionnel est le perfectionnisme. Voici une liste de dix signes révélateurs de cette tendance à chercher la perfection[1].

1. Vous ne pouvez pas arrêter de penser à une erreur que vous avez faite.
2. Vous êtes très compétitif et ne pouvez tolérer de réussir moins bien que les autres.
3. Vous voulez faire les choses très bien, ou pas du tout.
4. Vous exigez la perfection chez les autres.
5. Vous ne demandez pas d'aide si cette requête peut être perçue comme une faiblesse.
6. Vous persistez à faire une tâche longtemps après le départ des autres.
7. Vous vous faites un devoir de corriger les gens quand ils se trompent.
8. Vous êtes grandement conscient des demandes et des attentes des autres.
9. Vous êtes très soucieux de ne pas faire d'erreurs devant des gens.
10. Vous remarquez toujours les erreurs, partout.

Si vous cumulez plus de cinq signes, il semble que vous soyez perfectionniste : l'épuisement professionnel vous guette !

Dans les entreprises, ce sont souvent les meilleurs éléments qui tombent malades, qui démissionnent ou qui se font congédier. Mais il y a aussi ceux qui sont en *burn in*. Cette nouvelle expression signifie être épuisé, mais se sentir obligé

---

1. Gordon Flett, psychologue à l'université de Toronto, spécialiste de l'étude du perfectionnisme.

de demeurer sur le lieu de travail, pour des raisons multiples. On survit plutôt que de vivre pleinement sa vie.

Lorsqu'on est dans cet état d'âme, on contamine quotidiennement son entourage immédiat. En ce sens, il semble y avoir des similitudes entre ce qui est vécu en entreprise et les histoires d'amour. Dans les deux cas, nous avons sensiblement les mêmes comportements.

> Si la tendance se maintient, notre rythme de vie continuera à s'accélérer pour atteindre la même vitesse que notre pensée.

Stress et maladie

La maladie physique ou psychologique est le moyen le plus accepté dans notre société pour se soustraire à ce qui est. De la grippe au cancer, nous utilisons, consciemment ou non, cette porte de sortie au travail, dans nos relations et en ce qui concerne nos obligations.

On constate que la maladie physique ne cesse de se répandre. Il n'y a qu'à voir les listes d'attente dans les temples de la santé (CH, CHSLD, CLSC et autres CSS). Le grand avantage, c'est que lorsqu'elle frappe, nous devons nous arrêter, observer, changer nos pensées, nos croyances et nos habitudes de vie, sinon le mal revient, sous la même forme ou sous une autre.

La médication est un des moyens les plus utilisés pour combattre cet ennemi. Certaines compagnies d'assurances obligent même leurs clients à prendre des antidépresseurs pour toucher leurs prestations. Selon le film *Québec sur ordonnance*, les médecins ont rédigé, en 2007, sept millions d'ordonnances pour des problèmes de santé mentale.

Stress et suicide

Selon l'Institut national de santé publique du Québec, notre province arrive au deuxième rang mondial en ce qui concerne le taux de suicide. Voici quelques chiffres.

Nombre de suicides par 100 000 habitants :

- Japon : 20,3
- Québec : 14,9
- Canada : 11,7
- États-Unis : 10,2
- Grèce : 2,9

Selon l'INSERM, chaque année, plus de 10 000 personnes s'enlèvent la vie en France, ce qui représente un suicide toutes les 50 minutes[2]. Selon un rapport du Haut comité de la santé publique, ces chiffres sont même sous-estimés d'environ 20 %.

Il existe plusieurs façons de se donner la mort, et à différents rythmes : le suicide personnel, collectif, à petit feu, par la maladie, les drogues, etc. Peu importe les classes sociales, un point commun semble ressortir : le profond désespoir des êtres humains.

Voilà un constat qui souligne le côté sombre de nos sociétés modernes. À l'inverse, il est aussi vrai que l'humain fait des découvertes absolument fantastiques et que son évolution a un côté lumineux.

2. L'Institut national de la santé et de la recherche médicale produit et publie des statistiques concernant les causes de décès en France. Les dernières données analysées datent de 2002.

Chapitre 3

Les types d'intelligence

Du temps des sorcières, c'est l'hémisphère droit du cerveau qui était dominant. Puis, l'hémisphère gauche est devenu la norme. Depuis ce temps, notre société favorise l'intelligence rationnelle au détriment des autres formes d'intelligence. Nous devons prouver scientifiquement ce qui est, et même ce qui n'est pas.

Ce qui semble compter, en fait, c'est notre aptitude à utiliser pleinement les possibilités de notre esprit : comment nous traitons et organisons l'information, comment nous interprétons nos expériences et, globalement, la manière dont nous nous représentons la réalité. Cette façon de penser ne convient plus. C'est maintenant le retour à l'intelligence du cœur, de l'intuition et de la création.

Howard Gardner a relevé chez les êtres humains huit formes d'intelligence :

1. Intuitive et émotionnelle : faculté de comprendre les motivations et les sentiments des autres ;
2. Intrapersonnelle : faculté de se comprendre soi-même ;
3. Verbale et linguistique ;
4. Logico-mathématique ;
5. Visuelle et spatiale ;
6. Corporelle/kinesthésique ;
7. Écologique ;
8. Musicale.

Le cœur a ses raisons...

Saviez-vous que tout passe par le cœur? Qu'il est le premier organe à se former durant notre développement? Qu'il est le dernier organe à s'éteindre?

> Le cœur est le siège de l'âme
> et la boussole de l'esprit.

Selon le corps médical et les ouvrages spécialisés, la définition traditionnelle du cœur du point de vue physiologique est la suivante: organe central de l'appareil circulatoire consistant, chez l'être humain, en un muscle creux de forme ovoïde pointant vers le bas et divisé en quatre cavités. Il est situé dans la cage thoracique, entre les deux poumons. Il pompe le sang et le pousse partout dans le corps.

Voici une autre définition provenant du dictionnaire: le cœur est la partie centrale, active ou essentielle de quelque chose, comme dans les expressions suivantes: le cœur d'un réacteur, le cœur d'une grande ville, le cœur d'un débat, le cœur du problème, être au cœur de la forêt, etc.

Cependant, c'est la définition émotionnelle du cœur qui est le fil conducteur des propos de ce livre. Le cœur, c'est des sensations, des émotions, des sentiments profonds, des pensées intimes.

> Le plus important dans toutes nos démarches
> est de suivre la voie de notre cœur:
> elle est juste et vraie.

Voici des expressions connues qui vont dans ce sens:

- Avoir du cœur au ventre;
- Avoir le cœur sur la main;

- Avoir un coup de cœur;
- Avoir un grand cœur;
- Avoir le cœur à l'ouvrage;
- Avoir le cœur sensible, tendre, ardent, volage.

À l'opposé, il y a aussi:

- Avoir le cœur serré;
- Avoir le cœur brisé;
- Avoir le cœur fermé;
- Avoir le cœur à l'envers;
- Avoir un cœur de pierre;
- Avoir le cœur malade.

L'enveloppe du cœur

Ce n'est pas d'hier qu'on parle du péricarde[3]. En fait, on retrouve déjà ce mot 200 ans avant Jésus-Christ. Il vient du grec *peri*, qui veut dire «autour», et *kardia*, qui signifie «cœur».

En médecine chinoise, le péricarde est appelé «le Maître cœur», rien de moins. On considère même que le cœur et ses composantes périphériques possèdent leur propre fonctionnement autonome. Le péricarde agit comme un gilet pare-balles émotionnel qui protège l'organe vital, situé au centre du corps.

En fait, biologiquement, dès que nous éprouvons la moindre émotion, c'est le péricarde qui absorbe le tout et qui transmet l'information aux systèmes nerveux et sympathique. J'arrête ici les explications de nature biomédicale, car mon objectif est uniquement de vous démontrer que les émotions et le cœur sont presque synonymes. Cette fonction de protection amène constamment des variantes du rythme cardiaque. Un

3. Montserrat Gascon, *Vive le péricarde libre*, Éditions Altess, 2006.

cœur qui ne réagit pas à l'environnement intérieur et extérieur est un cœur qui se rapproche de la mort, car sa fonction de protection n'est plus.

Le péricarde absorbe donc toutes nos émotions. Lorsque nous sommes ouverts, notre cœur est en dilatation. Cet état est souhaité, car il est synonyme de bonheur, d'ouverture sur soi et sur les autres. La cellule fonctionne exactement de la même façon ; elle aussi se nourrit en se dilatant. Les sources qui provoquent la dilatation sont les suivantes :

- l'amour et la sollicitude ;
- la compassion et le dévouement ;
- l'inspiration et la créativité ;
- la confiance et le pardon.

Nous verrons plus loin comment tout mettre en œuvre pour accentuer ce processus, fondamental pour nous et pour l'humanité.

À l'inverse, nous rétractons notre cœur quand nous sommes fermés à toute émotion, situation ou personne. Tout le corps en subit alors les contrecoups, les répercussions se traduisant tant dans le cœur et le corps que dans le cerveau. Les sources de fermeture sont généralement liées aux peurs fondamentales :

- la peur de mourir ;
- la peur de souffrir physiquement ou psychologiquement ;
- la peur de la solitude ;
- la peur de l'engagement ;
- la peur de la trahison, etc.

L'intelligence du cœur

L'intelligence du cœur est une expression qui signifie que cet organe est un système intelligent ayant la capacité de conduire les émotions et les pensées de façon équilibrée et cohérente, idée que partagent certains chercheurs de l'institut HeartMath, en Californie.

L'intelligence de l'intuition est complètement séparée des processus cognitifs. On parle ici d'un savoir qui ne vient pas d'une déduction logique, mais bien d'une inspiration instinctive, sans raisonnement.

La technologie au service des émotions

Le Dr David Servan-Schreiber, dans son livre *Guérir*, explique que l'institut HeartMath offre un logiciel (Em Wave, autrefois appelé Freeze-Framer) qui permet de mesurer le niveau de cohérence cardiaque.

Un capteur fixé au doigt du sujet transmet à un ordinateur des données issues des pulsations cardiaques. Chaque graphique donne un portrait instantané du niveau de cohérence en tenant compte de la régularité et de la fréquence des battements cardiaques ainsi que de la façon dont le cœur accélère ou décélère entre chaque battement (voir la figure ci-dessous).

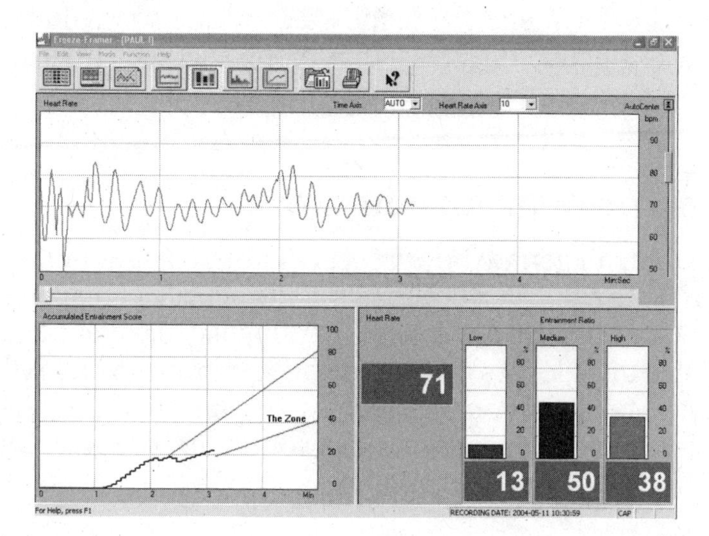

Ces données indiquent avec précision le rythme cardiaque, mais elles traduisent également, au fur et à mesure, le degré d'émotivité et le niveau de stress en réaction aux pensées ou aux émotions. En effet, lorsque nous vivons des états de stress, d'anxiété, de dépression ou toute autre émotion, le rythme cardiaque devient irrégulier. Il peut s'emballer et devenir chaotique.

Cette technologie permet donc d'observer, directement à l'écran, l'impact des pensées et de la respiration sur le rythme cardiaque. Grâce à une plus grande maîtrise des émotions et à l'atteinte rapide d'un état de cohérence – un état résultant d'une intégration positive du corps et de la psyché –, l'utilisation de cette technologie innovatrice permet entre autres choses :

- D'effectuer le monitorage et le contrôle du niveau de stress en temps réel ;
- D'améliorer sa performance et son habileté à gérer la nervosité par des exercices concrets de visualisation pendant qu'on est branché à un senseur.

En combinant l'utilisation du logiciel à des techniques usuelles de relaxation ou de visualisation positive, on peut apprendre, en quelques minutes, à contrôler son rythme cardiaque et à gérer son stress. L'harmonisation des trois C, cerveau – cœur – corps, vous fera vivre longtemps et en santé !

L'harmonisation du cœur

Qu'est-ce qui génère nos préoccupations ? Il faut prendre le temps de le constater, de stopper toute activité et d'apprendre à reconnaître notre état intérieur. Pour plusieurs d'entre nous, il semble difficile de s'arrêter quelques instants. Notre rythme d'activité cérébrale ou physique est de plus en plus rapide, et si la tendance se maintient, il va continuer d'augmenter.

Imaginez, on parlait de stress en 1940... Pourtant, si on compare à aujourd'hui, ce n'était vraiment rien. Des records sont fracassés chaque année dans plusieurs domaines, comme le sport. Nous communiquons avec des outils de plus en plus performants. La science fait des découvertes sans arrêt. Bref, le rythme s'accentue, et ce, dans tous les champs d'activité. Il sera donc encore plus important de bien gérer notre rythme de vie, car le secret est là. Entre la performance et le sommeil, nous pouvons maintenant modifier nos états de conscience, nous recentrer, puis retourner à nos occupations infernales...

Première étape

Dans un premier temps, vous devez prendre conscience de votre respiration. Ce premier réflexe vous ramènera à l'événement souche : votre venue au monde. Dès la sortie du ventre de votre mère, vous avez appris à respirer. Comme nous le verrons plus loin, beaucoup d'enseignements, comme le yoga et la méditation, nous montrent l'importance de savoir respirer, le premier geste à conscientiser. Pour modifier votre respiration, il importe de la situer dans votre corps. Respirez-vous par le ventre, la gorge, les poumons ? Quel est le rythme de votre respiration ? À tout instant, vous en avez le contrôle.

Vous arrive-t-il d'être à bout de souffle dans un rêve, à cause d'un événement stressant ? Sans que vous leviez le petit doigt, votre rythme cardiaque dépasse-t-il parfois les 130 pulsations par minute ? Vous pouvez remédier à cet emballement du cœur en modifiant votre pensée et en vous concentrant sur votre rythme cardiaque. Faites-en l'essai dès que vous prenez conscience d'une accélération anormale : stoppez tout et ajustez le rythme de votre cœur selon votre désir.

Peu importe où vous êtes, ce que vous faites ou ce que vous vivez, il faut d'abord respirer. Il importe que vous vous rappeliez la nécessité de le faire et d'intégrer cette notion de base.

> Le résultat n'a d'égal
> que la puissance de votre intention.

Voici la posologie suggérée : prenez deux grandes respirations. Chaque inspiration doit prendre quatre secondes et chaque expiration, six secondes, c'est fondamental !

Il est étonnant de constater comment certaines personnes n'arrivent pas à modifier leur respiration. Celle-ci est souvent très courte et le temps d'arrêt entre deux respirations est quasi nul. Pour elles, adopter une respiration quatre/six est presque impossible.

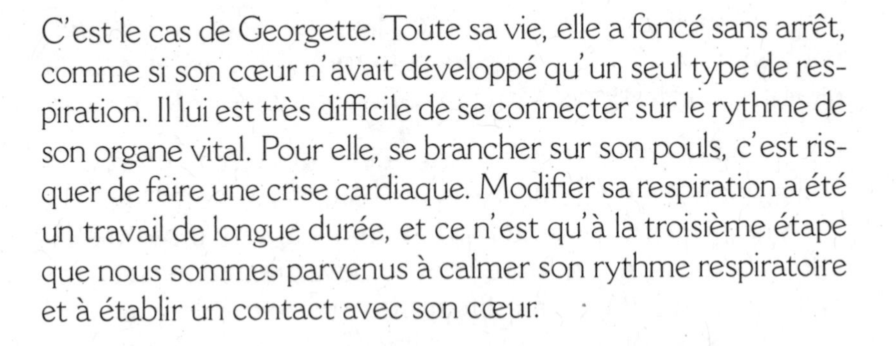

C'est le cas de Georgette. Toute sa vie, elle a foncé sans arrêt, comme si son cœur n'avait développé qu'un seul type de respiration. Il lui est très difficile de se connecter sur le rythme de son organe vital. Pour elle, se brancher sur son pouls, c'est risquer de faire une crise cardiaque. Modifier sa respiration a été un travail de longue durée, et ce n'est qu'à la troisième étape que nous sommes parvenus à calmer son rythme respiratoire et à établir un contact avec son cœur.

Deuxième étape

Dans cette deuxième étape, vous devez vous centrer sur votre cœur, sur son rythme ; il vous faut l'entendre, le ressentir et, si vous le pouvez, le voir en image. Faites comme si votre respiration passait par lui. Comme je l'ai déjà dit, il est stupéfiant de constater qu'une partie des gens n'arrivent pas à se connecter sur leur rythme cardiaque. Ils sont effrayés ou ne se sentent tout simplement pas à l'aise avec ce contact intérieur.

Certaines personnes même ne tolèrent absolument pas d'entendre le rythme de leur cœur; cela les perturbe au lieu de les apaiser. Pour elles, on doit passer par-dessus cette étape de façon temporaire (environ 10 % de ma clientèle est touchée par ce phénomène). Cette réaction peut indiquer une difficulté d'être en contact avec le soi intérieur.

En d'autres termes, ces gens recherchent le bonheur, comme la plupart d'entre nous, mais ils fuient aussitôt qu'ils sont en contact avec le malheur, exactement comme ils le font quand ils sont confrontés au sentiment de mal-être à l'intérieur d'eux-mêmes. Vous pouvez tenter d'éviter cet état, mais il reviendra pour que vous le contactiez et que vous régliez votre problème.

Josée, une professionnelle dans la cinquantaine, travaille dans le domaine de la foresterie. Elle n'accepte pas d'être concentrée sur son rythme cardiaque. Elle se dit incapable d'être en contact avec son cœur, elle est affolée dès que cela se produit. Je lui propose d'approfondir la question, mais elle refuse une incursion dans sa mémoire inconsciente. Par contre, elle accepte volontiers la première étape, celle qui consiste à prendre conscience de sa respiration, puis on se rend directement à la troisième. Elle reconnaît ce qu'il y a de bien dans sa vie et se connecte à un événement heureux et paisible qu'elle a vécu. Même si les étapes ne sont pas toutes suivies à la lettre, les résultats sont éloquents. Peut-être consentira-t-elle un jour à étudier la raison de sa résistance.

Troisième étape

Pour cette dernière étape, souvenez-vous d'un événement positif ou d'un moment où vous étiez complètement détendu. Plusieurs personnes choisissent deux contextes particuliers : le bord de la mer lors d'un voyage à l'étranger ou une balade en pleine nature. Sachez que le seul fait de se rappeler et de ressentir à nouveau des circonstances agréables stimule dans le corps la sécrétion de la même quantité d'hormones qu'à ce moment. Si vous êtes incapable de faire de la visualisation, je vous suggère de regarder des photos ; elles vous serviront à vous connecter à l'événement choisi.

Une autre possibilité est de vous concentrer sur ce que vous avez d'important dans la vie. Faites d'abord le tour de vos proches, et reconnaissez cette richesse inestimable. Puis, ressentez intérieurement tous les bienfaits de cette reconnaissance. Malheureusement, comme pour les deux précédentes, certaines personnes ne peuvent vivre cette étape.

Certains diront de cette histoire qu'elle est pure invention, un produit de l'imaginaire d'Anouchka. Il est vrai qu'elle n'a que des preuves circonstancielles liées à une autre personne. Toutefois, l'important n'est pas la véracité des faits, mais bien la grande différence entre son état d'âme dépressif avant l'événement et sa grande joie après ce qui lui est arrivé. À ce moment-là, elle vit des difficultés personnelles et se trouve au repos.

Elle est dans sa chambre, seule en pleine nuit, et sent une présence qui la dérange au point de la réveiller. Elle constate qu'il y a des extraterrestres dans la pièce. Elle se sent alors envahie d'un bien-être peu commun.

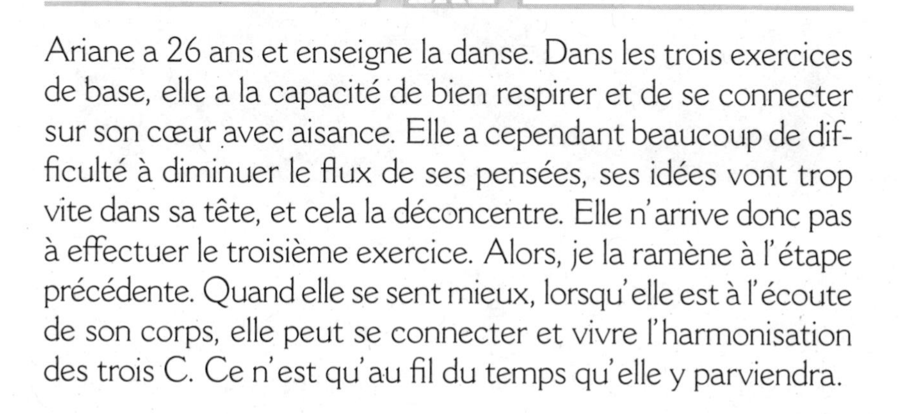

Ariane a 26 ans et enseigne la danse. Dans les trois exercices de base, elle a la capacité de bien respirer et de se connecter sur son cœur avec aisance. Elle a cependant beaucoup de difficulté à diminuer le flux de ses pensées, ses idées vont trop vite dans sa tête, et cela la déconcentre. Elle n'arrive donc pas à effectuer le troisième exercice. Alors, je la ramène à l'étape précédente. Quand elle se sent mieux, lorsqu'elle est à l'écoute de son corps, elle peut se connecter et vivre l'harmonisation des trois C. Ce n'est qu'au fil du temps qu'elle y parviendra.

Apprendre par le jeu

Quoi de plus stimulant que d'apprendre en jouant! En effet, une autre technique consiste à utiliser le logiciel afin de mesurer votre harmonisation en déplaçant un dirigeable. Plus vous êtes harmonisé selon votre rythme intérieur (rythme cardiaque), plus le jeu progresse. Le ballon traverse différents décors, ce qui favorise la concentration. Le logiciel offre également d'autres jeux.

Louis est aveugle et veut participer à une expérience de cohérence cardiaque. Il a une bonne capacité à se centrer sur sa respiration et à descendre dans son cœur. Mais dans son cas, visualiser est une autre histoire. Alors, on travaille en utilisant d'autres sens, dont l'odorat et le ressenti. Quand vient le moment de trouver des images de bien-être, je dois l'orienter avec des verbes d'action qui n'ont rien à voir avec la vision : sentir, ressentir, constater, entendre, etc.

Pour ne pas faire de suggestion, je lui demande de trouver des événements qu'il a appréciés et de les décrire dans ses propres mots et expressions. Le fait qu'il soit non-voyant diminue en partie l'utilisation du logiciel. J'utilise donc le signal sonore seulement pour valider avec lui l'évolution de son état d'harmonisation des trois C. Il peut par la suite travailler seul pour retrouver son état de bien-être intérieur et le vivre dans n'importe quelle situation.

Chapitre 4

Les domaines d'application et de vie

L'approche de l'harmonisation des trois C peut être appliquée dans de nombreux domaines. Voyons-en quelques-uns ensemble.

L'éducation

Dans le domaine de l'éducation, les périodes d'examens sont extrêmement stressantes. J'ai travaillé avec des adolescents pendant ces moments. Ils se sont prêtés aux exercices de cohérence et ont obtenu des résultats surprenants.

Quand on pense que le Japon connaît un des plus hauts taux de suicide, particulièrement à la suite d'échecs scolaires, il y aurait un grand intérêt à faire connaître à ses éducateurs cette approche des plus révolutionnaires.

Lors de périodes d'examens, Luc devient extrêmement stressé. À la demande de ses parents, il vient me consulter dans le but de réduire et de mieux gérer cet état de grande nervosité. Ici, tout est clair : l'événement souche est la période à laquelle le jeune homme est confronté. Mais ce qui est moins évident, ce sont ses pensées cachées. Dans le cas de Luc, ses craintes sont générées par la mort. Pour lui, elle est au rendez-vous en cas d'échec. L'étape suivante est donc de découvrir l'événement souche, celui qui engendre cette peur de mourir. C'est grâce à l'hypnose thérapeutique que l'étudiant l'a trouvé.

Par la suite, le champ est libre pour induire la technique d'harmonisation du cœur et, finalement, observer les résultats. Il est impératif de comprendre que même avec la meilleure technologie du monde, il faut absolument, au préalable, décortiquer, trouver, puis effacer les sources des pensées[4].

La santé mentale

C'est dans ce domaine qu'il y a le plus de travail à faire. Les besoins sont immenses pour aider tous les types de personnalité et intervenir dans les différentes problématiques. C'est dans ce milieu que je pratique le plus avec l'approche des trois C. Plusieurs anecdotes de ce livre illustrent mon travail.

L'Institut de psychophysiologie appliquée (IPA) utilise cette approche auprès de sa clientèle jeunesse souffrant de troubles d'apprentissage ou de concentration, de déficit de l'attention ainsi qu'avec les enfants du Ritalin. Pour chaque exercice réussi, l'enfant gagne des points, qu'il peut échanger par la suite.

Le sport

L'un des sports les plus documentés parmi ceux qui ont recours à cette approche est le golf. La concentration constante,

4. Sur le site de l'institut HeartMath, on explique les effets bénéfiques de l'harmonisation des trois C dans la section Éducation.

associée à une certaine détente, est un des états les plus difficiles à atteindre, tant dans ce sport que dans la vie. Vous aurez beau avoir les meilleures techniques du monde, si vous ne savez pas être constant dans votre concentration et dans votre capacité de vous détendre, vous ne deviendrez pas un golfeur accompli, peu importe votre calibre.

Beaucoup d'entraîneurs commencent à utiliser cet outil pour mesurer l'état intérieur de leurs athlètes et les aider à dépasser leurs limites. Votre condition physique est au maximum, votre alimentation est parfaite et votre pensée est équilibrée, mais vous plafonnez dans votre discipline ? Vous devez alors analyser toutes vos pensées et supprimer celles qui obstruent votre plein potentiel.

Les entreprises

Les entreprises sont souvent à la recherche de nouveaux moyens dans le but d'augmenter leurs rendements et leurs revenus. Quand on doit atteindre des résultats, des objectifs formulés dans des termes précis, tous les trucs doivent être considérés. Une étude faite auprès de 2000 gestionnaires de 12 grandes entreprises a démontré que 81 % des compétences qui distinguent les gestionnaires remarquables des autres sont liées à l'intelligence émotionnelle (Boyatzis, TCM, 1982). Ce n'est donc pas d'hier qu'on préconise cette forme d'intelligence.

Les directions

En *coaching*, je travaille sur l'aspect personnel d'abord plutôt que sur les objectifs de carrière ou les problèmes professionnels. Je mets alors l'accent sur les compétences émotionnelles : le savoir-être prime le savoir-faire. Vous pouvez avoir tous les diplômes universitaires possibles, si vous ne savez pas comment transmettre vos connaissances, votre contenu ne sera pas entendu.

Comment vous centrer pour mieux vous orienter sur le plan professionnel ? Il faut définir vos objectifs, donner la priorité à l'aspect qualitatif plutôt que quantitatif.

La vente et le marketing

Dans le domaine de la vente et du marketing, les exigences sont immenses quant aux revenus. Les entreprises poussent et exercent des pressions très grandes sur le personnel. La compétition y est de plus en plus féroce depuis la mondialisation des marchés.

Par ailleurs, Internet a donné un portrait de la réalité plus macro des forces et des faiblesses des entreprises et des individus. Avant, on comparait des entreprises voisines. Maintenant, la comparaison des produits et des services se fait à l'échelle mondiale. Le niveau de performance exigé est ahurissant. La nécessité de mieux gérer le stress et les performances est impérative. Or, c'est dans ce domaine que l'harmonisation des trois C produit les plus grands bénéfices.

Diminuer le flux de ses pensées

Connaissez-vous le lien entre le yoga, la méditation, les activités sportives, les antidépresseurs et la pratique de l'harmonisation des trois C ? Tous diminuent le flux de vos pensées.

Le yoga

Le yoga est une philosophie de vie originaire de l'Inde. Pratiquée par des gens de toutes religions et de toutes croyances, elle est vieille d'environ 5000 ans. On y apprend à se détendre, à respirer (Pranayama), puis à placer son corps dans différentes positions, parfois difficiles, tout en respirant avec aisance (positions du soleil, du lotus, de la chandelle, etc.).

La combinaison respiration-position permet de calmer l'activité mentale. La pratique régulière du yoga sculpte le corps tout en apaisant l'esprit, réduit le stress, accroît la souplesse et la flexibilité, augmente la résistance et la concentration, purifie et nettoie les organes, combat les tensions musculaires et l'agitation mentale. Il est toujours préférable de trouver un lieu précis pour en faire afin de donner plus de profondeur au rituel.

J'ai été initié vers l'âge de huit ans à cette pratique. Plus tard, dans la vingtaine, j'ai reçu un enseignement du yoga en sept étapes, le Patengalli, que j'ai adoré et qui me sert occasionnellement encore aujourd'hui. Il existe plusieurs formes de yoga, dont l'Ashtanga Vinyasa yoga, l'Anusara, l'Hatha yoga, le yoga bien-être (thérapeutique), le yoga pour enfants, adolescents, futures mamans et personnes âgées, etc.

La méditation

Méditer permet de découvrir la paix intérieure et de l'esprit. Cette réflexion englobe une grande variété de pratiques spirituelles qui soulignent l'activité ou l'arrêt progressif du mental. Cependant, la méditation sert aussi à se concentrer sur un sujet pour obtenir une solution.

Elle est au cœur des pratiques du bouddhisme, du taoïsme, du yoga, de l'islam, du christianisme même et de bien d'autres formes de spiritualité permettant d'accéder à différents états de conscience. On y apprend d'abord à se détendre, à respirer et à répéter un mantra pour stopper les pensées au maximum.

Un mantra est un son répété au besoin, qui aide à se centrer et, par le fait même, qui évite de s'éparpiller dans ses pensées. Ce son vibre à une fréquence précise pour activer, stimuler ou détendre tout l'être. Il est attribué pour toute la vie par un maître yogi lors d'une cérémonie. Il existe beaucoup de types de pratiques, par exemple la méditation dirigée, active, guidée, de défoulement, etc. Idéalement, elle doit se faire dans un lieu précis.

C'est un des plus cadeaux que j'ai reçus dans ma vie. J'avais dix-huit ans quand mon premier amour m'a offert cette initiation. Aujourd'hui, je pratique encore très souvent la méditation, en y incluant les notions de l'harmonisation des trois C.

Les activités sportives

Les vertus du sport sont fortement documentées. Peu importe le type, il permet de maintenir le corps en bonne santé, mais l'esprit aussi. Quand vous faites du sport, vous êtes concentré sur l'activité. Par le fait même, vous n'êtes pas dans vos pensées. De plus, la sécrétion de sérotonine et de DHEA (déhydroépiandrostérone), des hormones qui donnent la joie de vivre, est activée.

Nous devenons un peuple de plus en plus obèse, d'où l'importance de faire des activités physiques.

Les antidépresseurs

Les antidépresseurs sont des médicaments principalement prescrits dans le traitement de certaines dépressions et de troubles anxieux. Ils ont un effet sur les neurotransmetteurs, en particulier la sérotonine et la noradrénaline.

Les inhibiteurs sélectifs de la sérotonine augmentent sa concentration dans la synapse en empêchant sa recapture dans le neurone récepteur. Les inhibiteurs des monoamines oxydases augmentent la concentration en sérotonine en inhibant les enzymes (les monoamines oxydases ou MAO chargés de sa dégradation). Les antidépresseurs tricycliques empêchent la recapture de divers neurotransmetteurs, y compris la sérotonine, la noradrénaline et la dopamine. Ces substances chimiques déconnectent le patient pour diminuer son activité mentale et physique. Les antidépresseurs modernes ne provoquent pas d'accoutumance ni de dépendance, bien que l'arrêt brutal du traitement puisse engendrer des effets dits de rebond transitoire.

Certes, il est bien de connaître toutes ces choses. Il est cependant impératif de comprendre ce qui nous met dans un état qui ne nous convient pas. Vous pouvez toujours émettre un programme positif par-dessus un programme négatif, mais cela sera dissonant.

Imaginez une personne négative et agressive qui essaie de vous saluer de façon positive : le résultat ne sera pas très convaincant. C'est un peu comme regarder deux émissions de télé en même temps, une qui est agréable et l'autre qui a un contenu négatif. Vous pourrez le faire pendant un certain temps, mais vous ne tiendrez pas bien longtemps. Il faut également tenir compte d'un réflexe humain tout à fait normal : c'est l'émotion la plus forte à l'intérieur des phrases du programme qui l'emporte.

C'est pourquoi il faut savoir, digérer, accepter et nettoyer avant de reprogrammer. Cette démarche personnelle est le deuxième niveau d'application de la technique du cœur. C'est reconnaître ce qui nous dérange, le traiter, puis modifier notre comportement. Ensuite, il s'agit d'appliquer les principes de l'harmonisation des trois C. On peut aussi travailler sur soi et, par la suite, utiliser la technique du cœur.

Jean-Charles, 74 ans, célibataire et ingénieur, souffre de troubles du sommeil et d'anxiété devant la maladie. Il a accepté l'expérience suivante. D'abord, il se connecte sur sa respiration ; jusque-là, tout va bien. Puis, il se centre sur son cœur ; là aussi, cela se passe parfaitement. Cependant, à l'étape suivante, il n'arrive pas à maintenir le cap sur l'exercice du dirigeable. Dès que celui-ci perd de l'altitude durant l'activité virtuelle, il se décourage et ne peut plus le faire remonter en demeurant connecté sur lui-même, comme si c'était trop difficile. Le processus est plus long pour une personne comme Jean-Charles. Cela demande une ouverture et une acceptation des limites événementielles ou comportementales dans sa vie.

L'évolution des intervenants

Autrefois, le droit et la morale, le bien et le mal ainsi que la ligne directrice de notre conscience étaient assurés par le curé du village. C'était l'époque où le clergé contrôlait, en partie, nos mœurs et nos coutumes.

Plus tard, dans les années 1960, les psychiatres ont pris la relève, la religion ayant perdu des plumes. On est passé des sciences religieuses aux sciences médicales ; on a perdu le côté instinctif pour laisser toute la place à la science, la preuve scientifique étant irréfutable, elle.

Puis, les psychologues, les psychothérapeutes et les psychanalystes ont suivi, plus accessibles pour la masse. Socialement, il était aussi mieux accepté de consulter ces professionnels que de voir son psychiatre.

Maintenant, c'est de plus en plus le *coach* qui prend la relève. Naturellement, les psys auront toujours leur place pour les cas les plus graves, et il y en a de plus en plus.

Aujourd'hui, le *coaching* est appliqué dans plusieurs sphères d'activité, mais c'est dans les sports que cette profession a vu le jour. Ensuite, il s'est fait une place dans le monde des affaires, puis dans les sphères personnelle et sociale. Le *mentoring* est un soutien qui sollicite les parties lumineuses de notre être, ce qui le rend plus accessible et moins menaçant que le titre et les fonctions de psy. En effet, chez bon nombre de personnes, consulter ce type de professionnel est directement associé à la folie; vérifiez dans votre entourage, vous verrez! C'est pourquoi les intervenants en santé mentale auraient avantage à offrir des séances de *coaching* à la population en général.

> Si je veux aider l'autre, je dois m'assurer
> de l'accompagner exactement là où il se trouve
> et d'amorcer le travail là où il est.
>
> Si je veux aider l'autre, je dois faire
> office de *coach* , de guide, mais avant
> tout je dois savoir ce qu'il sait.
>
> Si je veux aider l'autre, je dois être là
> entièrement, juste pour lui.

La formation continue

Autrefois, nous apprenions une profession ou un métier pour la vie, et nous n'avions pas besoin de retourner nous asseoir sur les bancs d'école pour nous perfectionner. Dans notre monde moderne, la formation continue est devenue un incontournable; elle est aussi nécessaire sur le plan professionnel que sur le plan personnel.

En effet, le rythme effréné de l'évolution de nos sociétés industrialisées et les nouvelles technologies de l'information et des communications ont déclenché l'avènement des programmes de formation continue depuis plusieurs années. De plus, on remarque que l'effritement des rapports humains se fait sentir dans toutes les couches de nos sociétés, ce qui contribue à l'incompréhension.

Nous avons donc intérêt à mieux savoir et être, pour palier ces nouvelles réalités. De l'autre côté de la médaille, il y a ceux qui manifestent simplement le goût d'apprendre à différentes périodes de leur vie. Tous et toutes gagneront à intégrer cette notion d'apprentissage en continu: une association, ses membres et toute la communauté.

De plus, les sciences sont de plus en plus appliquées, c'est-à-dire que l'on dispose d'outils, comme des logiciels, et que nous appliquons les technologies qui y sont intégrées. La mise à jour des différents logiciels dans tous les secteurs d'activité a donc elle aussi forcé l'intégration de la formation continue dans les secteurs public et privé. Sur le plan personnel, nous devons maintenant appliquer cette nouvelle approche qu'est la formation continue personnelle (FCP).

S'inscrire à des programmes de formation continue présente plusieurs avantages. D'abord, cette démarche a pour effet de briser l'isolement. En effet, le syndrome de la solitude est vécu de plus en plus par l'ensemble de la population. Le *cocooning* (le fait de demeurer chez soi sans sortir) et le nombre grandissant de travailleurs autonomes, peu importe leur provenance dans le marché du travail, réduisent de façon importante les relations interpersonnelles.

Ces phénomènes peuvent affaiblir les rapports humains par la diminution de la fréquence des contacts. Il est donc vital de s'intégrer dans des structures d'apprentissage qui nous permettent de mieux savoir et être avec soi et autrui. L'effet de regroupement et de solidarité en formation continue permet de diminuer considérablement l'isolement.

Sur le plan individuel, on constate les effets très réconfortants d'être en groupe. Comme le dit l'adage: «Quand on se regarde, on se désole; quand on se compare, on se console.» Qui plus est, si je suis avec des gens qui me ressemblent, cela m'aide à trouver des solutions personnelles. Car le pouvoir d'un groupe homogène crée un impact majeur sur les individus. Si c'est vrai, par exemple, pour des chambres de commerce ou d'autres regroupements sociaux, cela l'est également pour les individus qui veulent évoluer sur le plan personnel.

En d'autres termes, il devient plus stimulant d'être en contact avec ses pairs tout en apprenant. Par ailleurs, la compétence professionnelle et personnelle n'est pas une garantie de succès en affaires et dans les relations interpersonnelles. Plusieurs ingrédients essentiels sont nécessaires pour réussir. Il nous faut donc connaître tous les rouages des êtres humains pour nous assurer la meilleure qualité de vie possible.

Un autre avantage des programmes de formation continue est le développement d'un nouveau réseau de contacts. C'est une valeur ajoutée indirecte, qui ne peut que générer des effets positifs. Cela peut même devenir un avantage d'importance pour tisser de nouveaux liens d'affaires, personnels, sociaux et amicaux.

Il y a différents types de formation continue, par exemple assister à des conférences, consulter un professionnel (individuellement ou en groupe) et, naturellement, la lecture. La formation continue, c'est comme consulter le manuel d'instructions du nouvel utilisateur d'un service ou d'un produit. Si vous passez par-dessus cette étape, vous serez dans l'obligation d'y revenir tôt ou tard, et cela vous prendra encore plus de temps pour comprendre. Pensez-y!

Après avoir reçu un enseignement, il reste à en intégrer le contenu, sinon ce ne sont que des connaissances accumulées. Pour intégrer tout ce savoir, il faut le mettre en pratique dans le quotidien, ce qui sollicite l'intelligence du cœur.

Dans un proche avenir, grâce aux nouvelles technologies, vous pourrez suivre une formation confortablement assis dans votre fauteuil préféré devant votre ordinateur. Ce type de formation à distance, en temps réel, existe déjà, mais il n'est pas encore ancré dans nos habitudes de vie.

> Les émotions et la mémoire sont comme un parachute. Ça doit être ouvert pour fonctionner, sinon il y a des risques...

Chapitre 5

Un processus en cinq étapes

Face à des événements d'importance (deuil d'un être cher, divorce, séparation, responsabilités importantes, frustrations, etc.), nous traversons tous les mêmes étapes. Le rythme auquel nous le faisons varie d'une personne à l'autre et selon la situation. Après, nous assistons au dénouement, ce vers quoi nous devons nous diriger. Un autre processus s'ouvre à nous. Nous avons le libre arbitre de nous y engager ou non.

Le déni ou le refus. Nous ne voulons pas admettre ce qui est. Cette réaction est tout à fait normale. Plus la situation est grave à nos yeux, plus le refus de voir sera grand. À ce moment, nous nous trouvons uniquement dans notre tête, nous nous cachons la vérité et nous refusons avec notre pensée.

La révolte ou la colère. Quand nous prenons conscience de la réalité, nous réagissons fort. La panique peut s'emparer de nous. À ce moment, nous nous trouvons dans l'émotion, qui se loge dans le cœur et le corps. Nous ne pensons plus être en réaction à quelque chose ou à quelqu'un.

La négociation ou le compromis. Nous retournons dans notre tête avec notre mental et ses limites. C'est un réflexe tout à fait normal de vouloir négocier lorsque nous nous sentons au pied du mur et dans un état d'âme non centré, en dehors de notre cœur. Nous recherchons toutes sortes de stratagèmes, espérant ainsi éviter la situation, dissoudre l'obstacle ou éviter une fin quelconque.

La dépression ou la tristesse. Nous nous trouvons à nouveau dans le cœur des émotions, nous pensons que c'est la fin de tout.

L'acceptation ou le lâcher-prise. Rendus à cette étape, parfois sans le savoir, nous intégrons à la fois notre mental et notre cœur en acceptant en totalité ce qui est. Nous nous abandonnons à nous-mêmes, à notre environnement, à tout ce qui se passe, sans pression, sans stress, sans attente. Nous devenons ouverts à tout, car nous n'avons plus rien à perdre. Et c'est là que tout arrive, que tout se manifeste. Vous est-il déjà arrivé d'abandonner un projet, une idée, la recherche d'une personne, et qu'après coup votre désir se réalise ? C'est un peu ce qui se passe dans cette dernière étape.

Prendre conscience de ces cinq étapes vous permettra d'accélérer le processus pour mieux arriver à l'acceptation et passer à autre chose. Pour cela, il faut :

- Prendre conscience du problème qui nous affecte au point d'éprouver de la difficulté à fonctionner dans notre quotidien. C'est l'élément déclencheur qui nous pousse à consulter. Bien souvent, tant que nous réussissons à évoluer dans notre vie de tous les jours, nous ne nous posons pas trop de questions. C'est face à des événements circonstanciels importants que nous nous conscientisons.
- Accepter notre réalité sans culpabilité. Dans plusieurs pays, la religion omniprésente et oppressante a laissé ou laisse encore des traces de culpabilité.
- Trouver les événements souches. Le seul fait de contacter nos événements de base nous aide à nous en libérer.

La technique de centrage sur le cœur peut améliorer considérablement votre vie, car vous pourrez l'appliquer au moment précis où vous en aurez le plus besoin. L'harmonisation des trois C permet alors d'agir comme un puissant agent de changement pour sortir du cercle vicieux généré par le stress.

Voici à ce sujet un texte de Capite Corpus[5] qui décrit très bien cette harmonisation d'un œil objectif. J'ai trouvé pertinent d'ajouter ce regard de l'extérieur dont la position est tout à fait neutre. Cela permet de donner une plus grande crédibilité à cette approche.

> La cohérence est un état cardiaque qui nécessite de présenter le fonctionnement du cœur au préalable. Le cœur est un organe auto-animé, qui nous envoie des signaux émotionnels et intuitifs pour aiguiller notre vie.
>
> Les neurosciences ont récemment mis en évidence que le cœur possède son propre cerveau, un système nerveux indépendant possédant environ 40 000 neurones, comme ceux que l'on trouve dans les centres corticaux. Il les utilise pour transmettre l'information au cerveau et influencer les réactions de l'amygdale, siège de nos émotions.
>
> Autonome, le cœur sécrète différentes hormones telles que l'ANF et l'ocytocine, qui bloquent les hormones du stress, stimulent les organes reproducteurs et interagissent avec le système immunitaire. Le cœur agit alors comme un oscillateur puissant qui entraîne tous les autres systèmes du corps et, bien sûr, le cerveau.
>
> *Les variantes du rythme cardiaque*
>
> Le cœur entretient une relation privilégiée avec notre cerveau limbique qui contrôle notre équilibre physiologique. Elle se concrétise par le système nerveux autonome (SNA), constitué de deux branches :
>
> - le système nerveux sympathique, associé aux réactions de combat/fuite par une accélération du rythme cardiaque, la contraction des vaisseaux sanguins et la stimulation des hormones du stress (comme le cortisol) ;
> - le système nerveux parasympathique, associé aux réactions de calme et de relaxation, et qui apaise les battements cardiaques.

---

5. Source : http://www.capitecorpus.com.

Cette relation est reflétée par un indicateur clé: la variabilité du rythme cardiaque (VRC), qui mesure l'intervalle de temps entre deux battements. Cette variabilité se matérialise dans deux états: chaotique (aléatoire), lorsque nous sommes sous l'influence du stress, de l'anxiété ou de la colère; cohérent (ordonné), lorsque nous ressentons des émotions positives telles que le bien-être, la compassion ou la reconnaissance.

Le rythme cardiaque reflète donc notre état émotionnel, qui affecte à son tour les aptitudes du cerveau à organiser l'information, à prendre une décision, à résoudre un problème ou encore à exprimer sa créativité. S'entraîner à générer en soi cette cohérence est au cœur du processus de gestion du stress.

Le stress trouve sa source dans deux types de réactions négatives: la différence existant entre la perception d'un événement par nature neutre et l'attente que nous en avons, et l'accumulation de réactions habituelles, de petites frustrations et d'opinions rigides.

La déception qui en résulte entraîne chaos et incohérence dans notre physiologie et par là même un gaspillage important d'énergie. En effet, chaque situation suscite une émotion qui va être traitée par historique émotionnel dont la tendance naturelle est de nous enfermer dans des comportements familiers, souvent peu adaptés. La cohérence cardiaque permet alors d'agir comme un puissant agent de changement pour sortir du cercle vicieux généré par le stress.

Bénéfices de l'harmonisation des trois C: cerveau – cœur – corps

Retrouver sa cohérence cardiaque est synonyme d'effets positifs. D'abord, c'est un moyen de maîtriser son stress et son anxiété. Ensuite, l'impact physiologique se traduit par deux aspects: une augmentation de la sécrétion de la DHEA, l'hormone de jouvence, et un renouvellement accéléré des immunoglobulines A (IgA), le premier rempart contre les infections.

En rééquilibrant ainsi les relations cœur-cerveau, nous instaurons un climat de coopération entre les fonctions émotionnelles et les fonctions cognitives qui participent à notre confort et à notre bien-être. Ainsi libérées dans l'organisme, la DHEA et les IgA sont des remèdes efficaces contre les maladies cardiovasculaires et l'hypertension artérielle.

Notre humeur s'en trouve aussi modifiée et nous pouvons alors mieux guérir d'une dépression. Notre vie sociale aussi s'en trouve améliorée; nous sommes plus disponibles, donc plus à l'écoute de l'autre; notre implication et notre productivité s'accroissent.

La notion de temps est une belle invention de l'humain, mais il y a aussi l'envers de la médaille. Nous y sommes confrontés chaque jour, d'où l'importance de connaître notre position par rapport à lui.

Le temps est trop lent pour ceux qui attendent
Trop important pour l'horloger
Trop insignifiant pour l'artiste
Trop rapide pour ceux qui ont peur
Trop long pour ceux qui sont malheureux
Trop court pour ceux qui sont heureux
Interminable pour ceux qui veulent nous quitter
Mais pour ceux qui aiment, le temps est éternel.

Octave a déjà été traité en psychiatrie. Il souffre de maladies – je vous épargne les noms – dont une infectieuse et dont il connaît les symptômes en détail. Il se rase tout le corps, car il déteste le poil. Sa vie de couple tire à sa fin après plusieurs années de vie commune. L'homme a expérimenté des relations sexuelles de toutes sortes avec des hommes et des femmes. Il a une technique de niveau collégial, mais cela ne lui convient plus. Il est sans emploi depuis un certain temps, car maintenant rien ne cadre vraiment bien dans sa vie professionnelle.

Il est accroché à la cosmogonie. Il n'a aucun ami, car les gens le trouvent trop marginal. Le gouffre s'agrandit de jour en jour.

Il frappe à ma porte en me disant que mes nom et prénom lui parlent, lui évoquent des souvenirs importants et que je suis sa dernière ressource. Dans ce genre de relation d'aide, quand on vous dit cela, la pression est grande. Si cela ne fonctionne pas, il cessera toute consultation. Il n'accepte aucune suggestion. Je consens à le suivre au tarif convenu selon ses moyens.

Il parle à une vitesse hallucinante et saute du coq à l'âne en moins de deux. Malgré mes remarques sur la quantité excessive de ses propos, il continue à fuir à un rythme infernal. Il n'accepte pas l'hypnose comme moyen d'investigation. Je lui propose donc la technique d'intelligence du cœur.

De plus, nous mettons sur pied une expérience spéciale : nous faisons jouer la musique de son choix et il utilise sa lampe incandescente pour se rappeler le Sud. C'est l'automne et il se dit dépressif temporel. Comme de plus en plus de gens en consultation, il exige des résultats rapides pour répondre aux normes de notre société ultra-performante.

Son degré de confiance à mon égard se situe autour de 65 %. Il est rare que, dès le début des consultations, les clients me confient ce chiffre, qui correspond exactement au degré de résultats qu'ils obtiendront dans le processus de consultation. Heureusement, il augmente tout au long des rencontres.

Notre monde sera transformé quand le pouvoir
de l'amour aura remplacé l'amour du pouvoir.

Chapitre 6

La recette du bonheur

Le bonheur, c'est comme ton mets préféré :
si tu en veux, cuisine-le ! Tu seras assuré d'en avoir,
et le bonheur extérieur sera un surplus.

La marche à suivre

Pour atteindre le bonheur, il vous faut suivre une démarche en trois étapes.

Les ingrédients

Vous devez, en premier lieu, définir exactement ce que vous voulez dans votre vie, sur tous les plans : personnel, affectif, professionnel, social et amical. C'est par votre passion que passent votre vision et votre mission. C'est l'unique chemin à découvrir. Peu importe le temps que vous prendrez à cerner ce que vous voulez vraiment, l'important, c'est d'être dans ce processus d'identification et d'application. Il n'y a aucune limite dans le temps.

Il arrive parfois que, malgré nous, nous nous retrouvions là où nous sommes le mieux, sans avoir fait ce qu'il fallait pour y arriver, comme si la destinée était une manifestation spontanée. Certains diront que c'est la chance, d'autres, un bon karma.

Il est possible à tout âge que vos intérêts se modifient au fil du temps et pour des raisons soudaines (séparation, perte d'emploi, retraite, deuil, changement de ville ou de pays, etc.) ou planifiées (changement de carrière, etc.). Corrigez tout simplement le tir vers une nouvelle cible de vie.

« Et si je me trompais ? » Combien de fois ai-je entendu cette réflexion en consultation ! Admettons que ce soit vrai, au moins, vous aurez expérimenté un chemin qui vous animait à ce moment précis. Mais je dirais que, de façon générale, les gens, lorsqu'ils suivent leur passion, se dirigent exactement vers le bon lieu, au bon moment et avec les bonnes personnes, et qu'ils se trompent très rarement.

Comment découvrir ce qui vous anime? D'abord, par la réflexion et la méditation. Il y a également les tests de personnalité (sur Internet, certains sont gratuits); ils ont une certaine valeur. Mais intéressons-nous plus particulièrement à quatre moyens qui pourraient vous mettre sur la piste de votre passion.

- Les rêves

Les rêves sont un des aspects de l'humain souvent négligés comme source d'information. Ils sont des outils à notre portée pour favoriser une meilleure compréhension de ce que nous sommes, de ce que nous faisons et de ce que nous projetons dans la vie. Lorsque nous voulons résoudre un problème, nous devons travailler sur tous les plans possibles, l'état onirique en fait partie. Les plus grands de ce monde se sont inspirés de leurs rêves pour découvrir et créer: Albert Einstein et Michel-Ange en sont des exemples.

Vous pouvez utiliser vos rêves pour connaître et mieux comprendre vos pulsions, vos limites personnelles, vos énigmes, etc. Voici ce que vous pouvez faire pour amorcer le travail d'analyse de ces manifestations psychiques.

Juste avant le coucher, dans un journal personnel, demandez-vous par écrit ce que vous voulez obtenir comme information, ce que vous avez comme désir ou demande spéciale. Le lendemain matin, décrivez-y votre rêve ainsi que le dernier sentiment que vous avez eu.

Lisez le contenu de vos rêves et donnez-vous le temps de simplement constater. Interprétez-les de façon intuitive. Si vous n'y arrivez pas, résumez-les d'abord, puis posez-vous la question qui va vous permettre de les associer à votre réalité: «Y a-t-il une situation similaire dans ma vie actuelle?»

Établissez alors des liens avec votre quotidien, vous devriez trouver une réponse.

Si vous avez encore de la difficulté à bien saisir le sens de vos rêves, suivez des cours sur la question. Cela vous facilitera le travail et vous servira dans d'autres aspects de votre vie (c'est la formation continue personnelle!). Sachez également qu'il existe une sommité au Québec dans ce domaine: Nicole Gratton. Vous pouvez facilement trouver des informations à son sujet en tapant son nom dans un moteur de recherche sur Internet.

- Les expériences de vie

Le bagage accumulé au fil du temps peut vous servir. Fouillez dans votre passé, vous pourriez y trouver des trésors cachés. Par exemple, quels jeux aimiez-vous lorsque vous étiez enfant? Quel rôle y avez-vous joué? Quels étaient vos préférences, vos goûts? Des informations comme ce que vous avez détesté le plus dans votre jeunesse et pourquoi peuvent aussi être très intéressantes.

- Les professionnels

Vous pouvez demander de l'aide professionnelle de façon sporadique ou sur une base plus fréquente à moyen terme. Il importe que vous vous sentiez à l'aise et que la chimie soit bonne. Dans le cas contraire, allez voir ailleurs. Attention! Ce n'est pas parce qu'un *coach* convient à l'un qu'il conviendra également à l'autre. Vous devrez vous fier à votre instinct, mettre votre intuition à votre service. C'est également à vous de déterminer, à votre convenance, la fréquence des rencontres et leur nombre.

- Votre entourage

Les gens de votre entourage peuvent aussi vous donner une bonne rétroaction au sujet de ce qu'ils perçoivent de mieux en vous.

La préparation

Lorsque vous aurez réussi à définir ce que vous voulez, le geste suivant à faire est de le cristalliser sur papier, de le sortir de votre tête pour le manifester en l'écrivant. Ce processus vous aidera à commencer à passer à l'action. Le seul fait d'entreprendre cette action mettra en branle le processus de base qui vous mènera à la réalisation de ce que vous êtes : c'est l'effet miroir.

Cette projection sur papier vous amènera à accomplir ce qui vibre en vous, elle vous renverra une image de ce qui est. De plus, si quelqu'un d'autre en fait la lecture, le résultat sera encore plus appréciable ; devant un groupe, l'effet sera enivrant et aura une incidence prometteuse sur la réalisation du soi profond. Faites-en l'expérience !

Le temps de cuisson

Passez à l'action en faisant « comme si ». Mettez-vous d'avance dans l'état convoité. N'attendez pas d'être riche, comportez-vous comme quelqu'un de riche. Si vous attendez que le bonheur soit présent dans votre vie pour être heureux, vous risquez d'attendre longtemps.

- Les domaines de vie

Nos valeurs (vues à travers la lunette de nos perceptions), nos croyances, nos relations affectives, amicales et sociales ainsi que nos priorités sont déterminées par un grand nombre de facteurs. De plus, elles peuvent changer à n'importe quel moment de notre existence. Dans certains cas, le changement peut être involontaire et radical.

Faites l'exercice suivant. Sur une feuille, tracez deux colonnes. Dans la première, faites un inventaire des domaines de vie, par exemple : amour, travail, amitié, société, famille, enfant, voyage, lecture, etc.

Dans la deuxième colonne, donnez à chacun une valeur de 1 à 10 (1 étant la valeur la plus élevée).

Attribuer la valeur 1 à son chien pourrait sembler étrange, mais quand nous connaissons les événements qui motivent les choix que font les autres, cela peut devenir très troublant, et nous devenons alors compréhensifs.

Une dame habitait dans un quartier huppé d'une grande ville cosmopolite. Un soir, alors qu'elle revenait seule du restaurant, elle a subi une agression sexuelle. Trois mois plus tard, effet indirect de cette attaque, elle perdait son emploi. Ses croyances et ses valeurs ont alors littéralement changé. À partir de ce moment, son chien est devenu une partie importante de sa vie, et on comprend bien pourquoi...

- La visualisation

Selon le dictionnaire, la visualisation est le fait de rendre visible quelque chose qui, normalement, n'est pas visible. Il est possible de visualiser de plusieurs façons: dans notre tête, sur papier, en peinture ou à travers toute autre forme d'expression. En même temps que vous visualisez un objectif ou un rêve, mettez-y toute votre conviction pour accentuer et assurer l'effet de réalisation.

- L'échéancier

Quel est votre échéancier? Fixez vos objectifs dans le temps pour vous aider à entreprendre les actions nécessaires dans votre vie de tous les jours. Ensuite, faites comme si vous aviez déjà atteint votre but.

- La répétition

> La répétition, c'est comme les rides :
> à force de faire un pli au même endroit,
> cela finit par laisser des traces indélébiles.

La répétition est la mère de la pédagogie. C'est pourquoi il importe de répéter le processus d'attraction précédent pendant quelque temps. Il existe différentes formules : 14, 21 ou 30 jours. C'est selon vous et votre capacité d'intégration.

Les compétences relationnelles

Nos compétences relationnelles sont importantes pour tous les membres de notre famille ainsi que pour nos proches et nos collègues de travail. C'est la qualité de nos relations avec les autres qui nous permet d'évoluer et de manifester nos apprentissages dans la réalité de façon harmonieuse et efficace.

Ces compétences relationnelles assurent des contacts plus vrais, et cela nous revient au centuple. Les relations de qualité garantissent un leadership qui peut influencer et avoir un impact qui rejaillit sur nous. Il y a environ 15 % des gens avec lesquels on ne peut pas s'entendre. Tenez-les loin de vous en pratiquant, par exemple, l'ignorance intentionnelle, c'est-à-dire en faisant « comme si ».

Quand cette force est intégrée, les conflits avec les siens peuvent se résoudre pour se transformer en des solutions partagées.

Les chemins de l'intelligence

Au début du XXe siècle, la majorité des hommes croyaient indispensable de porter un chapeau; pour les femmes, c'était le corset. Au début du XXIe siècle, la plupart des humains croient que le but de la vie consiste à atteindre toujours plus de jouissances en consommant ce qu'il y a de meilleur sur la planète, biens et services.

La société d'une époque donnée doit être replacée dans son contexte global, celui de l'évolution humaine et, plus largement encore, celui de l'évolution de la vie sur terre. Aujourd'hui, tout est en accéléré, pour atteindre la même vitesse que celle de notre pensée. Il semble que ce but inconscient nous pousse à augmenter notre rythme de vie effréné et notre performance. Je ne sais pas où nous serons lorsque nous fonctionnerons aussi vite que notre pensée, mais nous courons vers de graves problèmes d'adaptation si nous ne gérons pas ce changement.

C'est pourquoi il est important, sur le plan personnel, que l'instant présent soit replacé au centre de notre vie. Il est aussi vital de prendre du recul dans l'espace-temps. Cela consiste à élargir son champ de vision à partir du point d'observation où l'on se trouve: la société ou le pays auquel on appartient, la planète avec l'ensemble de ses peuples et de ses cultures, le système solaire, la galaxie et, finalement, l'Univers et ses milliards d'autres mondes.

Des technologies au service de la pensée

Des chercheurs japonais ont inventé un appareil qui permet aux personnes atteintes de paralysie musculaire totale de dire oui ou non grâce à une analyse des flux sanguins dans le cerveau, mesurés par un bandeau placé sur la tête[6].

Si le sujet veut dire oui, il doit stimuler sa pensée, par exemple en effectuant un calcul ou en chantant mentalement, activités qui enverront un flux supplémentaire de sang dans son lobe frontal. À l'inverse, pour dire non, la personne doit se détendre complètement pour laisser le flux de sang inchangé. L'appareil donne une réponse correcte dans 80 % des cas en 36 secondes maximum.

Cet outil, baptisé *Kokoro-gatari* («parler avec la pensée»), a été conçu conjointement par Hitachi, Mechatronix et l'Association japonaise des malades de la sclérose latérale amyotrophique (la maladie dont souffre l'astrophysicien Stephen Hawking). Les personnes atteintes de cette grave maladie neurodégénérative finissent par ne plus pouvoir parler ni effectuer le moindre mouvement, y compris cligner des yeux, mais continuent à penser normalement.

Dans le processus d'hypnose, on s'intéresse aux événements occultés en régression pour mieux comprendre le présent. On a également la possibilité de regarder vers le futur. Cela touche en partie des dogmes établis, mais qu'à cela ne tienne, je vais jusqu'au bout de mes expériences pour témoigner d'une partie de ce qui est possible dans ce monde si rationnel.

Amélie est en pleine technique de régression depuis quelques mois. Elle se dit maintenant satisfaite du résultat obtenu dans sa recherche d'événements antérieurs. Je lui propose alors d'aller

6. Source: http://news.3yen.com.

visiter son futur étant donné que, lors d'une séance d'hypnose, elle a déjà vu sa grand-mère décédée.

Dans un premier temps, il s'agit de la mener vers un état de transe, entre l'éveil et le sommeil, par la respiration, la détente et l'induction. Cela se fait très rapidement chez certaines personnes ; d'autres ne parviendront jamais à vivre ces moments du futur des plus exaltants. C'est comme dans n'importe quel sport : plus on s'entraîne, plus rapide est l'effet, et plus grande est la satisfaction.

Elle accepte l'expérience, et la voilà transportée très rapidement dans son avenir, comme si elle était dans un avion en plein vol au-dessus de la mer. Je reste prudent et je poursuis la séance. Elle se voit très heureuse dans sa vie future. Même si elle ne peut pas situer précisément la période, l'effet est là. Il n'y a rien de grandiose dans cette expérience (il n'y a aucune preuve non plus), mais c'est le résultat qui compte. Savoir que le bonheur est au rendez-vous constitue une démarche enviable et prometteuse pour elle-même.

L'objectif est qu'elle puisse développer la sollicitude, l'altruisme, la compassion. Il y a aussi l'empathie, et j'aime bien la fraternité, mais plus que tout, pour moi, c'est la philanthropie qui compte.

Frein d'urgence

Dans un chapitre précédent, nous avons vu un processus en trois étapes : respiration, cœur, images. Allons maintenant plus loin avec une autre approche.

Si vous êtes dans une situation difficile, reconnaissez d'abord ce que vous vivez intérieurement, le problème qui se transfère dans votre corps. Observez ensuite votre réaction et votre perception de la situation présente ou passée.

Un problème vient de l'inconscient, qui le fait vivre ensuite sur le plan conscient qui, à son tour, le transforme en émotion s'inscrivant dans le corps. Si nous ne vivons que l'un ou l'autre des transferts mentionnés, il passe au prochain aspect. Par exemple, si nous nous coupons de nos émotions, notre perception passe de l'inconscient au conscient et se jette directement dans le corps sans que le problème soit vécu sur le plan émotionnel, et ce, même si chaque émotion est vécue et manifestée physiquement. Certains le vivent à l'inverse: ils sentent que cela ne va pas dans leur corps et, à partir de ce moment, ils remontent dans l'émotion, dans la conscience et, finalement, dans l'inconscient.

Voici un exercice simple qui prouve que la source d'une difficulté est l'inconscient. Amusez-vous à créer consciemment un problème. Vous verrez à quel point vous pourrez le résoudre très rapidement. Si tous nos ennuis trouvaient leur source sur le plan conscient, nous serions vite guéris.

Chapitre 7

Les nouveaux repères

Compte tenu des repères qui ne tiennent plus la route, l'être humain a comme défi de construire ses propres balises afin de mieux gérer son stress et ainsi d'atteindre un équilibre dans tous les aspects de sa vie : personnel, familial, professionnel, social et environnemental.

Si mon modèle de couple ne convient plus à ma réalité, par exemple, je peux définir un nouveau style de vie à deux. Il n'y a pas de limites dans les nouvelles mises en place : je peux inventer exactement ce qui correspond à ma réalité du moment. La nouvelle formule peut aussi évoluer avec mes besoins qui changent. L'exemple le plus évident est le fait de vouloir des enfants : ça va mieux quand on vit sous le même toit !

Certains diront qu'il est difficile de se fier au temps qu'il fait, même durant la période estivale, en raison des bouleversements climatiques. Dans cette situation, je n'ai d'autre choix que de m'adapter à cette nouvelle réalité. Les nouveaux repères deviennent obligatoires, car je dois composer avec de nouvelles données, sans quoi je risque d'être encore moins heureux. Si j'exige qu'on me garantisse constamment du beau temps, j'aurais intérêt à choisir un lieu ou un pays qui me donnera satisfaction.

> Nous ne pouvons pas résoudre nos problèmes actuels au même niveau de réflexion auquel nous étions lorsque nous les avons créés.
>
> Albert Einstein

La technique du compostage

La technique du compostage nous vient directement de la terre. Les restants de table végétaux sont d'abord déposés dans un bac. On ajoute de l'eau, on ventile bien, puis on laisse le temps faire son œuvre. On prend aussi soin de bien mélanger le tout pour activer la transformation des composantes. Le résultat est garanti !

Eh bien, il en va de même avec les difficultés que l'on vit. Pour avoir des problèmes, il faut obligatoirement qu'il y ait un événement, une situation autour de la table pour générer des restants. La plupart des gens préfèrent les jeter, pensant qu'ils ne sont pas utiles. Et ça presse, on ne veut plus les voir !

Mais si on prend le temps de déposer nos restants de table (nos souffrances) dans un endroit précis (en les observant), la transformation s'opère à notre avantage. Ce qu'il y a de merveilleux, c'est que le changement se fait sans notre intervention. Le seul fait d'entreprendre cette démarche constitue un travail énorme sur soi.

De plus, ajouter de l'eau (accepter sans jugement ni culpabilité) nous aide à accélérer la transformation de soi. Quant à la ventilation, elle peut être comparée à notre perception de nos souffrances.

Le temps est aussi un ingrédient essentiel pour compléter cette transformation. Cette notion est relative, mais la nature nous rappelle constamment que pour transformer certains restants en engrais riche, une saison est nécessaire. Il en va de même pour nos souffrances, qui nous amèneront vers de nouvelles perceptions.

Il existe bien des catalyseurs (thérapeutes) pour accélérer les réactions biochimiques. Certaines nouvelles technologies peuvent également favoriser le processus de guérison. Ces nouveaux outils et processus répondent à l'évolution de plus en plus rapide de nos sociétés modernes sans toutefois bousculer notre compréhension personnelle.

Tout ira de plus en plus rapidement pour répondre à la vitesse de l'esprit ou de la pensée. Dans toutes les sphères d'activité, les nouvelles technologies nous rendent de grands services, et le domaine de la psychologie n'y échappe pas: la clientèle nous demande d'être performants et rapides. Sommes-nous prêts à atteindre cette performance?

Les sceptiques

Connaissez-vous des gens qui sont sceptiques sur tout ce qui sort de l'ordinaire et qui n'est pas prouvé scientifiquement?

Elle s'appelle Olga. De par sa formation, elle croit seulement à ce qui est prouvé scientifiquement et enseigné dans les institutions reconnues par l'État. Tout le reste a moins de valeur à ses yeux. Elle vit sur une île et est seule au moment où je la rencontre. Je lui parle de mon approche, qui semble générer chez elle une certaine curiosité. Au fond d'elle-même, elle voudrait connaître une tranche de sa vie, celle qui précède son adoption. Très jeune à l'époque, elle n'a aucun souvenir conscient, et personne n'a pu lui dire grand-chose sur son passé.

À l'aide de deux techniques, l'harmonisation des trois C et la technique d'hypnose, on entreprend ensemble une première séance, déterminante pour elle. En moins d'une heure, elle parvient à remonter dans le temps: une femme met un enfant au monde. Mais juste avant, une émotion de tristesse fait surface et elle se demande pourquoi. Elle fait ensuite le lien: le seul fait de contacter cet événement libère la charge émotive inconsciente et omniprésente. Il devient alors plus facile pour elle de suivre une démarche d'harmonisation qui favorisera l'épanouissement vers l'abondance.

Lorsque vous voulez vous reprogrammer, vous devez d'abord nettoyer, faire de la place. Si vous avez accumulé des événements qui entravent votre quotidien et que vous appliquez un nouveau programme, cela risque d'être dissonant. Prenons comme exemple une personne constamment de mauvaise humeur et qui se donne comme objectif de démontrer du positivisme. Plaquer un sourire par-dessus son état de base engendrera une grande dissonance.

Le plus extraordinaire dans ma pratique – comme dans celle de bien d'autres intervenants dans le domaine de la santé en général –, ce sont les guérisons remarquables. Cela ressemble parfois aux guérisons spontanées dans le domaine médical, les cas de cancer par exemple. Quand un tel événement se produit, on vit une sensation intérieure extraordinaire. Même si on n'est qu'un des facteurs du processus, c'est quand même très gratifiant.

C'est le cas d'Olga. Après seulement deux séances de gestion du cœur, elle a atteint un niveau de cohérence au-delà de la moyenne (80 %), et ce, en moins de dix minutes. En d'autres termes, elle a retrouvé très rapidement une capacité de contrôle sur soi, à un niveau qu'elle ne soupçonnait pas. Elle est devenue consciente de l'ampleur de toutes ses capacités sans toutefois les intégrer dans sa vie quotidienne. Par exemple, elle n'arrive pas à utiliser la technique pour mieux gérer ses crises dans les périodes anxiogènes.

Mais on oublie parfois lorsque des situations inconscientes refont surface et on peut vite retomber dans ses anciennes tendances profondes (*patterns*). Elle a vécu par la suite des situations angoissantes et l'émotion était si forte qu'il lui était presque impossible de se connecter avec son expérience de gestion de stress. Ce n'est qu'avec le temps qu'elle a réalisé que certaines phrases court-circuitaient son contrôle.

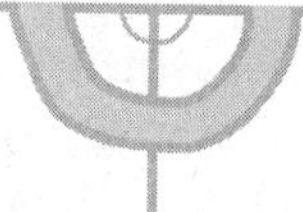

La grande stabilité d'aujourd'hui
est le changement fréquent.

Le processus de réaction

Les situations inhabituelles seront de plus en plus fréquentes dans nos vies (terrorisme, séparations, pertes d'emploi, catastrophes naturelles, conflits sociaux, guerres civiles et autres désordres mondiaux). Nous sommes peu habitués à réagir à des événements inconnus. À ce moment, le réflexe humain est de paralyser; le corps demeure figé tout comme la pensée, qui n'a pas de repères ni de réactions.

On reste immobile pendant un certain de temps; la pensée est concentrée sur le dernier événement, jusqu'au moment où l'instinct de survie ou une autre personne nous forcent à réagir. Ce mécanisme est présent dans les petits comme dans les grands événements.

Il nous arrive également de figer dans des situations positives. Vous êtes-vous déjà immobilisé devant la beauté d'une personne? Voilà un exemple qui montre bien la similitude de nos réactions dans les aspects positifs et négatifs de la vie.

Mais nous pouvons changer cela, voyons le processus inverse. Obtenons ce vers quoi nous convergeons émotionnellement. Concentrons-nous sur nos passions et l'actualisation sera facilitée.

Pour converger vers le meilleur, il vous faut au préalable trouver la source de vos pensées. Comme en informatique, retirez votre vieux programme et installez-en un nouveau constitué de phrases choisies, de ce que vous désirez dans votre vie.

Une technique plus avancée

Voici une autre technique, décrite par l'institut HeartMath, qui s'apparente à l'harmonisation des trois C.

- Prenez conscience du problème ou de la situation que vous vivez et constatez votre réaction, l'effet sur vos émotions, sur votre pensée et sur votre corps (cœur, cerveau, corps).
- Concentrez toutes vos pensées sur votre cœur et votre plexus solaire.
- Faites comme si vous étiez un observateur externe: cette position vous rendra beaucoup plus objectif.
- Devenez neutre dans votre cœur.
- Imprégnez de compassion toutes les émotions qui vous dérangent.

- Demandez-vous quelle serait la meilleure solution à votre problème et laissez place à toutes les formes de réponses. Il se peut qu'elles tardent à se manifester: ça viendra!

Voici les effets bénéfiques de cette approche:

- Vous aurez un meilleur contrôle de vous-même sur les plans physique et psychologique;
- Vous vous sentirez plus énergique et plus sûr de vous, en contrôle;
- Vous serez plus productif;
- Vos capacités émotionnelles et votre motivation seront également plus présentes;
- Vous serez plus efficace;
- Vous aurez une meilleure communication avec les autres.
- Vous vous sentirez plus à l'aise dans l'action;
- De façon générale, vous serez en équilibre dans la vie.

Les résistances

> Tendre vers la guérison veut dire accepter toutes les parties de mon être, sans culpabilité.

C'est bien connu, toute personne résiste au changement, dans tous les aspects de sa vie. C'est un réflexe tout à fait humain lié au phénomène de l'inconnu. Conscient ou inconscient, ce mécanisme qui se manifeste par la résistance est présent dans les petits changements comme dans les grands.

On retrouve également cette réaction lors des consultations en psychologie. D'une certaine façon, l'humain veut continuer de vivre avec son problème, pour toutes sortes de raisons. On entend parfois: «De quoi vais-je parler si je règle mon problème? Et qui va m'écouter si je ne parle pas de mes problèmes uniques?» C'est un phénomène profondément ancré dans notre inconscient, mais souvent non dit. Les gens se questionnent: «Par quoi vais-je remplacer mon problème?» et cette possibilité de vide intérieur génère du stress. Incroyable mais vrai!

Quelques personnes, persuadées que leurs cas sont exclusifs et trop différents de ceux des autres, croient qu'elles ne pourront pas utiliser les nouvelles approches proposées ici. C'est une réaction pour conserver leurs problèmes. En quoi un appareil ou un ordinateur pourraient-ils les aider?

Cette attitude s'accentue lorsque, dans une démarche, peu importe laquelle, on n'obtient pas de résultats, ou si peu. Alors, on propose de faire «comme si». Il s'agit d'un atout important pour passer par-dessus la pensée rationnelle et sa réaction devant les événements: peur de l'échec, peur d'apprendre des choses sur soi, peur d'être dévoilé, peur de réussir, peur d'avoir peur...

Quand on fait «comme si», ça fonctionne: l'état intérieur généré a un effet de filtre sur soi. Cette phrase sert à détourner le mental, tant pour explorer notre partie ombre (nos souffrances) que notre partie lumière (nos passions et nos réalisations), afin de fouiller dans l'inconscient ou de programmer le conscient.

En psychologie, on appelle cela «l'ignorance intentionnelle». Je fais comme si je n'avais rien entendu, je passe par-dessus ce que l'autre me dit. Voilà un exemple qui illustre bien ce mécanisme.

Anastasia a environ 35 ans. Elle vit seule depuis un an, travaille dans le domaine de l'hôtellerie et connaît des périodes de stress éprouvantes. Elle a des crises d'angoisse intenses. Lorsqu'elle commence à appliquer cette technique, elle dit que cela ne fonctionne pas : les crises sont beaucoup trop fortes.

Lorsqu'on nous propose une solution, souvent nous la voulons complète sur-le-champ, nous exigeons des résultats immédiats sans quoi cela ne nous convient pas. De plus en plus, notre société est performante dans toutes les sphères de la vie, et le domaine de la psychologie n'y échappe pas.

En discutant avec elle, je comprends tout de suite que l'effet escompté est minime par rapport à ses attentes. Étant donné que sa pensée est axée sur la performance, elle ne peut constater les différences notables dans les symptômes d'anxiété. Et c'est là que sa perception est biaisée. Elle recommence donc l'application de cette technique en acceptant un processus d'évolution selon un rythme réaliste, en accord avec elle.

Dans certains cas, on utilise une grille d'évaluation personnelle pour donner un portrait réaliste des symptômes physiques et de l'état intérieur. Les éléments en sont les suivants :

- diminution des symptômes physiques ;
- temps de récupération ;
- effets corporels ;
- sentiments, émotions ;

- observations personnelles;
- objectifs visés.

Par contre, dans cette démarche, certaines personnes ont de la difficulté à se concentrer sur leur rythme cardiaque: cela les effraie. Il ne s'agit pourtant que d'une habitude à développer pour soi. D'autres n'arrivent pas à retrouver un événement heureux et calme dans leur mémoire. Ils disent que leur activité cérébrale est trop intense. Cette difficulté nécessite un travail sur soi; c'est un défi : celui de se dépasser! Dans ces cas, on doit d'abord travailler sur ces difficultés pour mieux appliquer la posologie prescrite par la démarche de cette technique.

De la raison à l'émotion

On peut rationaliser ses problèmes, cela en diminue l'effet, mais à court terme seulement. Si on passe par le cœur (les perceptions et les émotions), le travail sera plus profond et son effet plus à long terme.

Pour vivre ses émotions, par exemple la colère, la peur, la tristesse, on peut se justifier en faisant appel à ses valeurs, à ses règles et à ses principes personnels. On explique aussi l'émotion en faisant intervenir la notion de principe. Par exemple, sur la route, je ne peux accepter qu'un autre automobiliste dépasse sur une double ligne. Si je continue sur cette lancée émotionnelle, en extrapolant la situation (les risques d'accidents, etc.), je cimente mon état émotif, et pour longtemps!

Lorsque l'approche du cœur sera reconnue et qu'elle atteindra un point de masse critique dans notre société, l'humain fera des pas de géant. En effet, si je comprends uniquement avec ma tête, je risque de récidiver. Par contre, quand la compréhension se situe à la fois dans la tête et dans le cœur, elle est totale et intégrée. Dans la philosophie zen, on parle de *satori*, c'est-à-dire comprendre avec tout son être.

Carl vient tout juste d'avoir vingt-deux ans. Il est encore épaté par la vie, mais se retrouve face à de multiples émotions et aussi dans une totale incompréhension. Il aide tant bien que mal sa sœur qui a fait des tentatives de suicide à répétition. Puis, par une belle journée de printemps, il apprend qu'elle s'est pendue dans une cour d'école. Le plus étrange, c'est qu'au moment de la tragédie, il est passé en voiture et a vu un attroupement d'élèves sans savoir que c'était elle qui était au centre de l'événement. Même si les signes étaient flagrants, il ne pouvait pas faire plus.

Encore plus étonnant, son frère, quelques mois plus tard, se fait heurter pour la deuxième fois par la même voiture, dans la même année, et meurt. Le conducteur est formel : le geste du piéton était délibéré. Cela ressemble à un suicide, mais le rapport de police ne mentionne pas cette possibilité.

Deux suicides dans la même famille, dans la même année, et le père est un professionnel de la santé mentale...

Après quelques années, il croit avoir surmonté ce choc, puisqu'il a parlé longuement de cette double histoire. Mais c'est une révélation lorsqu'il contacte ces événements en passant par son cœur. Il vit de la tristesse et pleure abondamment, puis transporte ses émotions vers des défis qui sont pour lui un tremplin vers d'autres horizons prometteurs.

Jamais, au grand jamais, il n'aurait pensé un jour vivre une compréhension de la sorte et se libérer ainsi. Il a dû se retirer pour mieux absorber l'effet, car cela a changé sa vie, sa profession et ses perceptions. Il est devenu encore plus observateur de sa propre existence.

Il savait qu'un jour il travaillerait dans le domaine de la santé mentale, malgré lui. Il a accepté un poste d'éducateur dans le domaine de la délinquance et travaille également à son compte en pratique privée.

Si, par cet exemple, j'ai pu vous montrer comment transformer des événements qui vous chavirent en éléments déclencheurs qui vous propulsent vers la réalisation de vos passions les plus viscérales, ce sera mission accomplie!

Quant aux enfants, ils peuvent subir un événement qui les rend tristes ou colériques puis, quelques secondes plus tard, avoir tout oublié et nagé dans le bonheur total. Vous avez déjà entendu dire que la vérité sort de la bouche des enfants. Eh bien, dans ce cas, c'est la connaissance du vrai qu'ils expriment. Vivre ici et maintenant est inné chez eux. Si vous vivez dans le passé ou dans le futur, vous perdez le moment présent, qui est si précieux.

L'intelligence du cœur: vers l'intuition

L'intelligence du cœur doit être préconisée par l'humain et se situer au premier plan, bien avant l'intelligence rationnelle et scientifique: c'est une question d'équilibre et de survie. Cette forme d'intelligence tend de plus en plus à être enseignée à nouveau dans ce deuxième millénaire.

Mgr Turcotte et Hubert Reeves parlent de la disparition possible de l'humain en raison de ses comportements à l'égard de l'environnement, des guerres perpétuelles, etc. Il y a donc matière à réflexion. En nous connectant sur notre cœur, nous favorisons du coup la connexion avec notre intuition.

L'intuition est une connaissance spontanée et innée que tout être humain possède et qui ne passe pas par le raisonnement. Cette source d'information est pure comme une révélation intérieure intense et, surtout, ultra-rapide dans son processus d'activation. Son rôle est de faire le lien entre le cœur et le corps. Elle nous permet de trouver la vérité, de prévoir des événements, de deviner ce qui est caché. L'intuition peut nous informer à grande échelle, par exemple d'une catastrophe naturelle imminente.

Vous est-il déjà arrivé de sentir que quelque chose vous poussait vers une personne, un lieu ou un emploi, sans raison apparente? Vous est-il déjà arrivé de reconnaître un lieu sans l'avoir jamais vu auparavant, de vivre une impression de déjà-vu? Il y a une foule d'anecdotes sur ce sujet.

Il existe aussi des intuitions qui nous sont transmises par d'autres personnes. Nos proches nous livrent des messages directs. Parfois, nous ne les entendons vraiment pas, mais, plus souvent qu'autrement, nous faisons la sourde oreille. Des étrangers nous adressent le même contenu, dans des mots différents, et l'écoute est alors plus grande. Mais quand nous nous voyons comme dans un miroir et que nous acceptons l'image qui est renvoyée, le travail se fait alors à grande vitesse.

L'impact de l'image

Vous connaissez l'expression «une image vaut mille mots»? Le subconscient adore les images. Elles favorisent la rétention, comme le font les symboles et les autres formes visuelles. Quand on observe sa propre cohérence cardiaque grâce au logiciel qui transmet des images, cela a un impact majeur. Voir à l'écran le rythme de son cœur a un effet sans précédent. Pour employer une image, c'est un peu comme un détecteur de mensonges!

« Tout un impact de voir à l'écran l'effet de ma pensée positive ! Surprenant, l'état dans lequel on pense être, et ce qui est vraiment ! »

Sylvie Legault, comédienne

« Grâce à cet outil, j'ai transformé un aspect de ma vie vers un nouvel épanouissement. »

Nicole Gratton, auteure, conférencière et directrice de l'École internationale de rêves

« Un outil qui va devenir populaire. »

Isabelle Nazar Aga, auteure d'ouvrages sur les manipulateurs

L'impact du son

C'est bien connu, les bienfaits de la musique ont des effets multiples dans notre tête et notre corps. Je prendrai uniquement son aspect apaisant, qui est en lien avec les techniques que j'utilise.

Certaines personnes arrivent difficilement à se détendre. La musique douce, pendant la méditation, par exemple, jouera alors un rôle très aidant, surtout chez celles dont les pensées ne cessent de tourner dans leur tête, comme une souris dans son carrousel. La musicothérapie est un sujet bien documenté, dans Internet entre autres.

Chapitre 8

Les quatre types de personnalité

La méconnaissance de ce que je suis peut également être considérée comme un facteur de stress. Si je ne peux cerner les sources et les raisons qui provoquent chez moi de l'anxiété et d'autres sentiments négatifs, c'est que certains de mes besoins fondamentaux ou secondaires ne sont pas comblés.

La pyramide de Maslow tient compte des besoins primaires et secondaires des individus. Après avoir bien mangé, ils ont d'autres besoins à satisfaire, et c'est là qu'intervient cette classification des besoins par catégories.

La psychiatrie orthodoxe fonctionne par identification des symptômes, en les classifiant dans des cases correspondant à des maladies mentales. Celles-ci peuvent varier selon les différentes écoles de pensée.

Dans le même sens, plus pratique et plus simpliste cette fois, le Dr Lafontaine a déterminé deux catégories de gens : les visuels et les auditifs. Par la suite, il a ajouté les kinesthésiques.

Il existe encore beaucoup d'autres manières de cataloguer les individus. Les tests sont parfois très longs, compliqués et coûteux. Je vous propose une classification toute simple, facile à utiliser et à mémoriser non seulement pour mieux vous connaître, mais également pour découvrir davantage l'autre et savoir rapidement qui est en face de vous.

En effet, un autre facteur de grand stress est la méconnaissance des gens de son entourage. Si je connais en partie leur mode de fonctionnement et leurs besoins, ma qualité de relation interpersonnelle sera nettement améliorée, et je serai beaucoup plus en contrôle, donc moins stressé.

Voici donc une façon rapide de reconnaître les personnes autour de vous afin de mieux vous ajuster à leur discours. Pour faciliter l'identification, les catégories portent des noms d'animaux[7]. C'est une classification faite selon les différents types de personnalité, leurs traits de caractère, leurs besoins et leurs types de comportement. Il n'y en a pas un meilleur qu'un autre : chacun a ses qualités, ses défauts et ses besoins.

D'abord, une phrase totem cerne l'objectif principal des individus entrant dans cette catégorie. Viennent ensuite une liste des caractéristiques qui les décrivent, qualités et défauts. Puis, les besoins de base qui les stimulent sont décrits de façon générale. Si une personne n'arrive pas à combler un de ces besoins, le manque pourrait générer des problèmes de comportement. Enfin, on trouve les attitudes non verbales qu'ils privilégient. Elles donnent de précieux indices et permettent de distinguer le vrai du faux. Philippe Turchet, par l'étude de la synergologie, s'est intéressé au non-verbal ainsi qu'à la programmation neurolinguistique (PNL).

- Lion (18 % de la population)

Phrase totem : diriger l'autre.

Caractéristiques : extraverti, ambitieux, direct, efficace, leader, courageux, agressif, prévisible, autoritaire, indépendant, contrôlant, insensible, peu diplomate, prétentieux, impatient, intimidant ; il projette sur les autres.

Besoins : action, performance, rapidité ; il est axé sur résultat et impose le respect ainsi que le pouvoir.

Non-verbal : imposant ; il pointe du doigt.

---

7. Source : les conférences *De mieux en mieux* et les séminaires Patrick Leroux.

- Singe (28 % de la population)

Phrase totem : rire avec l'autre.

Caractéristiques : extraverti, sociable, inspirant, passionné, charismatique, articulé, drôle, créatif, spontané, impulsif, infidèle, désorganisé, souvent en retard, traîneux, dépensier, superficiel, beau parleur ; il s'ennuie facilement et aime le changement.

Besoins : reconnaissance, prestige ; il veut convaincre et charmer ; il aime le jeu et adore les défis.

Non-verbal : il voit l'autre et cherche à faire rire.

- Dauphin (40 % de la population)

Phrase totem : aider l'autre.

Caractéristiques : introverti, patient, humain, chaleureux, docile, altruiste, fidèle, travailleur, respectueux, sincère, diplomate, empathique, à l'écoute, soucieux de l'environnement, traditionnel, lent, réactif, routinier ; il a l'esprit de famille et fait preuve de beaucoup de compassion ; il déteste le changement et les risques ; il manque d'ambition et de leadership.

Besoins : famille, sécurité, stabilité, honnêteté et loyauté.

Non-verbal : attitude réservée, style simple ; il parle doucement, bouge peu et se retire en cas de conflit.

- Hibou (14 % de la population)

Phrase totem : informer l'autre.

Caractéristiques : introverti, génial, intelligent, studieux, analytique, rationnel, organisé, structuré, ordonné, méticuleux, responsable, respectueux des règlements, fiable, ponctuel, persévérant, unique, perfectionniste, critique, réservé, froid, distant, sérieux, économe, maniaque de la propreté, marabout, anxieux ; il manque d'estime de soi.

Besoins: logique, sécurité, garantie.

Non-verbal: belle personnalité, style soigné, noblesse.

Bien connaître ces types de personnalité a ses avantages. D'abord, cela vous aidera à mieux vous connaître vous-même. Vous serez également en mesure de percevoir plus facilement les autres, que ce soit votre partenaire de vie, vos enfants, vos collègues de travail ou des étrangers. Vous pourrez ainsi mieux vous adapter à leurs différents styles lorsque vous vous adresserez à eux.

En d'autres mots, vous parlerez plus facilement leur langage, utiliserez leurs codes. Vous deviendrez par le fait même une personne plus tolérante envers les autres, car vous saisirez mieux leur façon de penser. Vous aurez ainsi des relations de meilleure qualité, et ils seront attirés par vous. Cela aura aussi pour effet de diminuer considérablement votre niveau de stress.

Pour faciliter la compréhension et la rétention des caractéristiques des quatre types de personnalité, voici un tableau synthèse. Vous y trouverez également le style général de la personne, l'hémisphère dominant du cerveau chez elle ainsi que des caractéristiques générales de l'apparence extérieure pour faciliter l'identification.

Petit guide des quatre types de personnalité

Animal	% de la population	Style	Cerveau	Phrase totem	Caractéristiques générales	Non-verbal
Lion	18 %	Extraverti	Gauche assuré	Diriger l'autre	Élégant, vêtements assortis, accessoires	Imposant, pointe du doigt
Singe	28 %	Extraverti	Droit intuitif	Rire avec l'autre	À la mode, dernier cri, porte des bijoux	Courtois, rieur, voit l'autre
Dauphin	40 %	Introverti	Droit réactif	Aider l'autre	Simple, de base	Fuit les conflits, un peu effacé.
Hibou	14 %	Introverti	Gauche cérébral	Informer l'autre	Soigné, propre, a du style	Solitaire, réservé, observateur

La prédominance et les caractéristiques communes

Évidemment, il est difficile de classer tous les individus en quatre catégories, car l'unicité des humains est trop complexe. De façon générale, on peut cependant affirmer que les stéréotypes comportementaux mentionnés précédemment permettent de dresser des profils dans lesquels il y a prédominance de un ou de plusieurs des types. Il est donc possible de tous les posséder, mais à des degrés différents.

Georgette est Lion à 37 % et Hibou à 29 %, ce qui fait d'elle une fonceuse et un leader qui recherche le pouvoir. En raison de son côté Hibou, en second plan, elle a besoin d'études, de preuves et de recherches avant de s'impliquer dans un projet ou une relation. Elle est axée beaucoup plus sur le travail que sur le plaisir et les sentiments.

Son unicité – comme chez nous tous – s'affirme dans son vécu et sa perception du monde. Très jeune, elle a dû s'occuper de ses frères et sœurs, ce qui accentue et colore son côté Lion (diriger les autres). De plus, son père s'est fait rouler dans une affaire, et la famille s'est retrouvée dans la misère du jour au lendemain. Avant de s'impliquer, elle doit donc vérifier le sérieux de la proposition, caractéristique du type Hibou.

Ces deux expériences montrent bien son côté unique, avec des stéréotypes bien établis, clairs et sans ambiguïté.

Par ailleurs, certains types de personnalité ont des caractéristiques communes évidentes. Par exemple, les Lions et les Singes possèdent un style extraverti et parlent rapidement. Ils sont axés sur les tâches et les résultats. Les Hiboux et les Dauphins, quant à eux, sont introvertis et parlent plus lentement. Ils sont portés vers les personnes et les sentiments.

Les trois C : cerveau – cœur – corps

La pensée est au cerveau ce que l'émotion est au corps. Le cœur est entre les deux pour faire le pont ou le lien.

Il y a des conflits intérieurs qu'on ne voudrait pas voir ou qu'on ne veut pas régler. Le cerveau se prétend parfois roi et maître, au détriment de notre cœur, et il bafoue le corps sans en tenir compte. Le cœur est au centre, sur les plans métaphorique et physique; il est l'organe par lequel tout passe, comme une boussole qui indique les états dans lesquels on se trouve. Il achemine vers le cerveau et le corps l'information, les sensations et les indications. La plus grande manifestation du cœur est l'amour.

Imaginez qu'ils sont en parfaite harmonie : le cerveau dans son rationnel, le corps dans l'émotion et le cœur dans le ressenti. Imaginez maintenant que ce triangle nous permette de prendre les meilleures décisions pour l'ensemble de ce que nous sommes. Il serait souhaitable de perpétuer cet état d'être. Chaque fois que vous le pouvez, revenez dans ce même état : vous pourrez alors vivre et accomplir tout ce que vous voulez.

Le courant électrique

Exactement comme le courant électrique, toute personne, toute situation comporte un aspect positif et un aspect négatif. Dès que nous acceptons cette réalité, nous devenons plus compréhensifs et nous nous acceptons mieux (et l'autre aussi, par le fait même). Dès que nous avons modifié intérieurement notre état, l'amour, la sollicitude et l'empathie peuvent se manifester. Automatiquement, la situation désagréable que nous vivons se modifie. Elle change en notre faveur sans qu'aucune parole n'ait encore été dite. Alors, imaginez le reste...

Connaissez-vous le test de la glace? J'utilise cette expérience de Masaru Emoto, tirée de son livre *Le pouvoir guérisseur de l'eau*. Lorsque vous êtes furieux, faites congeler un peu d'eau dans un contenant transparent. Refaites l'exercice avec un autre contenant lorsque vous êtes de bonne humeur. Après la congélation, comparez les cristaux des deux récipients et constatez la différence. Vous vivrez une expérience de physique quantique. Notre état intérieur se répand sur notre entourage et sur nos proches, comme les cristaux de glace. En fait, tout ce que nous vivons, dans chaque situation, a des impacts et des effets subtils et non subtils.

Par définition, la physique quantique est d'abord et avant tout une théorie probabiliste. Le concept de fonction d'onde n'a aucune équivalence dans le monde réel; ce n'est qu'un formalisme mathématique très pratique pour décrire le monde quantique.

L'équation établie par Edwin Shrodinger[8], en 1927, décrit les particules non comme des points matériels bien tangibles, mais comme une fonction d'onde, une sorte de fantôme de la particule. Là où il y a un effondrement de la fonction d'onde se trouve une zone de probabilité non nulle où l'on a des chances de trouver la particule.

8. Source: http://www.futura-sciences.com.

L'effet placebo

Le dictionnaire définit le placebo comme une substance neutre et inactive par laquelle on remplace un médicament[9]. Les produits médicinaux sont testés parallèlement à ce substitut, car des études ont démontré que même lorsqu'ils prenaient le médicament placebo, les symptômes des sujets testés en clinique (jusqu'à 30 % d'entre eux) s'amélioraient parce qu'ils croyaient qu'ils faisaient quelque chose de positif pour leur santé.

Placebo en latin signifie «je plairai». Cet effet montre la puissance de l'esprit positif: je crois que mon traitement me fait du bien, donc je me sens mieux. L'introduction de composés pharmaceutiques sur le marché est une démarche contrôlée, c'est pourquoi le médicament doit absolument avoir un effet de loin meilleur à celui du placebo pour être considéré comme efficace.

Tous s'entendent – les scientifiques y compris – pour reconnaître la force de l'esprit sur nous, nos intentions, notre corps, nos proches, notre entourage, notre environnement et même l'Univers. Si l'être humain est capable de se détruire, il peut aussi se construire au-delà de toute attente.

Voici un graphique pour illustrer cette mesure sur le potentiel humain et son opposé. Le génie et la folie sont situés aux extrêmes.

10	9	8	7	6	5	4	3	2	1	0	1	2	3	4	5	6	7	8	9	10
—	Folie				Épuisement professionnel					État neutre					Réalisation de soi				Génie	—

9. Source: La Société de l'arthrite.

L'effet placebo est à la médecine ce que la foi est à la spiritualité. Marashi Yogi affirme que s'il y avait seulement 1 % des êtres humains sur la planète qui méditaient, il n'y aurait plus de guerres. Imaginez si ce chiffre montait à 10 %!

> Le résultat n'a d'égal
> que la puissance de votre intention.

Dès que vous émettez une intention positive à votre égard ou à l'égard de quelqu'un d'autre, cela se manifeste dans le concret. Il n'y a aucune limite à ce que vous voulez: guérir, attirer, provoquer, susciter, etc. Plus l'intention sera pure, plus le résultat le sera. Plus votre geste comportera de la générosité et de l'amour, plus la contamination sera proportionnelle.

Pour que cette compréhension soit complète, faites cette expérience. Prenez une situation ou une personne qui dérange votre état intérieur. Après avoir constaté la source du dérangement, posez-vous la question suivante: «Si je répondais avec mon cœur, quelle serait la réponse?» Laissez-vous un laps de temps pour y réfléchir.

Guérir, c'est:

- accepter la totalité de ce que nous sommes, tant avec la tête qu'avec le cœur;
- travailler sur tous les plans: psychique, physique, émotionnel ainsi que sur notre alimentation;
- être en accord avec le rythme de guérison;
- faire comme si nous étions déjà guéris.

L'évolution et le rythme

Chaque personne a son propre rythme et son degré d'évolution. Ces deux aspects nous différencient et font de nous des êtres uniques. Les intervenants se doivent de respecter ces balises, sans quoi ils passent à côté d'un enseignement sous plusieurs formes. Il est naturellement plus facile de respecter le rythme en consultation individuelle qu'en groupe.

Je reçois Line Harvey en consultation. Dès la première rencontre, elle veut régler un problème qui remonte à dix ans. Elle me demande en combien de temps elle sera guérie. Bonne question ! Je lui réponds que cela dépend d'elle et de sa capacité d'ouverture. Son intention est bien ancrée, car elle est déterminée à savoir pourquoi elle vit cette situation depuis toutes ces années. Elle accepte de fouiller dans sa mémoire inconsciente pour trouver la source de son impasse.

De mon côté, je dois vérifier si elle est prête à accepter rapidement toute cette information sur elle-même, car j'ai déjà vu quelqu'un recevoir de l'amour en trop grande quantité, au point de devoir le refuser.

En d'autres termes, si vous recevez une dose que vous n'êtes pas préparé à recevoir, vous aurez une réaction contraire. C'est vrai pour le cœur, comme on vient de le voir, mais c'est aussi vrai pour le corps, dans le cas d'un médicament, par exemple, et pour le cerveau, quand la quantité d'informations est trop grande.

Mon père, un psychiatre, affirmait qu'on ne règle pas ses problèmes, mais qu'on apprend à mieux vivre avec ceux-ci. Bien humblement, j'ose maintenant croire qu'on peut les régler, tel un cancer dont on fait l'ablation[10].

---

10. Pour l'ensemble de ce chapitre, je me suis également référé à *La méthode des couleurs* de William M. Marston.

Conclusion

Vous souvenez-vous, j'ai écrit la phrase suivante au début de ce livre :

> Ce que nous sommes sur le plan individuel,
> nous le reflétons sur les plans familial, social,
> national, international et planétaire.

En d'autres termes, ce que je suis et ce que je pense, je le transfère automatiquement sur le plan de l'inconscient collectif. Si le bonheur est contagieux, dites-vous que le malheur l'est aussi, exactement comme le microbe qui se répand à grande vitesse.

Par exemple, entrez dans une pièce où il y a déjà des gens. Vous vous sentez soit bien, soit mal. Voilà l'effet de l'influence sur l'inconscient collectif. Ou encore, plusieurs d'entre vous ont sûrement déjà assisté à un spectacle. Avez-vous remarqué son effet sur vous[11] ?

Je vous invite à intégrer cette notion non seulement dans votre tête, mais aussi dans votre cœur. Rappelez-vous le test

11. Les sceptiques du type Hibou, nos intellectuels qui ont besoin de preuves, pourront visiter le site http://www.futura-sciences.com pour en apprendre plus sur la physique quantique.

de la glace. Si votre état intérieur a de l'effet sur l'eau, imaginez celui qu'il a sur vos proches. Votre état se répand sur votre entourage, comme l'air que vous respirez. En fait, tout ce que vous vivez dans chaque situation a des impacts et des effets subtils. Le stress n'échappe pas à cette réalité. Si l'ensemble des gens vivent une augmentation du stress, son influence est certaine, inéluctable, et elle a des conséquences.

Nous serons 9 milliards d'habitants sur terre dans quelques décennies. D'après vous, combien d'humains cela prend-il pour influencer le plus grand nombre de personnes possible? 10 %, 20 % ou 50 %? Peu importe, l'idée, c'est que chacun prenne conscience de ce phénomène et commence à avoir un impact sur son entourage et sur d'autres plans. La loi du nombre a beaucoup plus d'effet qu'on peut l'imaginer. Combien de personnes sont nécessaires pour changer votre opinion, pour vous influencer?

L'influence vient de l'inconscient collectif. Avez-vous déjà eu une idée de génie? Dites-vous qu'elle est venue de quelque part, je ne sais pas d'où, mais elle ne provenait pas nécessairement de vous.

Une expérience fascinante a été faite en laboratoire. À tour de rôle, des rats placés dans un labyrinthe cherchent la sortie. Il a été démontré que le premier d'entre eux prendra deux fois plus temps que le dernier pour y arriver, même si les scientifiques ont bien nettoyé les corridors après chaque utilisation afin de brouiller les pistes. Ces animaux laissent des traces invisibles.

L'application de ce test chez les humains est fort simple. Si vous ne trouvez pas votre chemin, prenez le temps de vous connecter à votre cœur. Installez-y les composantes de la sollicitude, de l'amour, de la reconnaissance ainsi que toutes les autres formes de sentiments et d'émotions agréables, et suivez le guide. Les influences dans l'inconscient collectif vous montreront la solution pour trouver le passage que nous recherchons tous vers ce qu'il y a de mieux pour nous.

Plus nous serons d'humains à le faire, plus le résultat sera grand. Quand la masse critique sera atteinte, même les plus rébarbatifs seront entraînés dans le sillon planétaire pour respecter et sauver les autres, s'entraider, unifier, ressentir et, par-dessus tout, *aimer*.

Retenez bien ceci : si vous marchez pour la paix dans le monde, cela sous-entend qu'il y a la guerre en arrière-plan. Inconsciemment, vous appelez le maintien de la guerre par la masse de vos pensées. Faites plutôt la paix, soyez la paix, devenez la paix, en vous, en tout temps.

Si vous montrez aux autres comment favoriser la paix, cela apportera l'équilibre mondial tant recherché. Car si la tendance se maintient, l'humain risque d'affronter des défis qui le ramèneront à la case départ : sa survie.

Vous avez sûrement déjà constaté la capacité de l'humain à se détruire. Maintenant, imaginez l'inverse : que serait le monde si sa capacité à construire, à évoluer et à aimer se manifestait en totalité ?

J'ose rêver d'un monde absolument incroyable où les humains ainsi que les règnes animal et végétal seraient en parfaite harmonie pour l'éternité. Peut-être l'Homme a-t-il besoin de connaître l'extrême à travers des désastres naturels ou des conflits mondiaux pour enfin revenir à son essence première.

Une prophétie nous annonce de grands changements pour l'humain, vers 2012 selon certains. Comment réagirons-nous ? Comment réagirez-vous ?

Peu importe le résultat, n'oubliez pas de célébrer !

Glossaire pour les profanes

Antidépresseur : Substance chimique qui déconnecte l'individu pour diminuer son activité mentale et corporelle. Peut remplacer la sérotonine.

Conscient : Ensemble des faits psychiques dont le sujet a conscience. Le conscient, l'inconscient et le subconscient constituent les parties du disque dur de notre ordinateur.

Corps astral : Halo qui est censé envelopper le corps humain.

Cortisol : Aussi appelé hormone du stress. Peut causer des effets nocifs sur le corps.

DHEA : Aussi appelée hormone de jouvence, la déhydroépiandrostérone donne vitalité et jeunesse grâce à ses propriétés antivieillissantes.

Émotion : Réaction momentanée et souvent impulsive provoquée par un intense sentiment de joie, de peur ou de surprise, et qui peut occasionner de l'agitation, des malaises ainsi que des phénomènes physiques, comme la pâleur, le rougissement, l'accélération du pouls et la sudation. Ressentir une vive émotion ; être sous le coup de l'émotion ; se remettre de ses émotions.

Entropie : Fonction permettant d'évaluer la dégradation de l'énergie. Dans la théorie de la communication et en cybernétique, nombre qui permet de mesurer l'incertitude de la nature d'un message.

Inconscient : Contient toutes les sources des mémoires en provenance de tout le vécu enregistré, sans limites de temps, exactement comme sur un ordinateur. C'est la mémoire cachée dans le disque dur.

Instant présent : Action consciente de vivre le moment présent en faisant abstraction du passé et du futur.

Intuition : Information spontanée et innée que tout être humain possède et qui ne passe pas par le raisonnement. Cette source d'information est pure comme une révélation intérieure intense et, surtout, ultra-rapide dans son processus d'activation.

Karma : Principe fondamental de la religion hindouiste selon lequel chaque vie est déterminée par la totalité des actes accomplis dans les vies antérieures.

Mantra : Son ou phrase sacrée répété lors de la méditation. Il aide à se centrer et, par le fait même, évite de s'éparpiller dans ses pensées. Permet d'atteindre un état de transe.

Méditation : Technique de détente physique et de respiration par la répétition d'un mantra afin de diminuer au maximum le flux des pensées.

Mentoring **:** Action de suivre l'évolution d'une personne sur un ou plusieurs plans à la fois avec une approche qui suscite la réflexion.

Perception : Représentation consciente d'un événement, d'une situation ou d'un objet, construite à partir des sensations. Connaissance, conscience de quelque chose.

Physique quantique : Théorie qui décrit un monde étrange, où l'on découvre que la matière constitue tout notre Univers.

Placebo : Substance neutre, inactive, par laquelle on remplace un médicament.

Téléportation : Transfert d'un corps dans l'espace sans parcours physique des points intermédiaires entre le départ et l'arrivée. Ce thème a été traité tant en science-fiction qu'en physique ou en parapsychologie.

Yoga : Technique de détente et de respiration dans des positions spécifiques (positions du soleil, du lotus, de la chandelle, etc.). Calme l'activité mentale.

À propos de l'auteur

Les entreprises PHL existent depuis 2003. J'offre des programmes de formation sous forme de conférences, de séminaires et d'ateliers.

Pour le grand public :

- L'harmonisation des trois C : cerveau – cœur – corps
- L'interprétation des rêves et des cauchemars
- L'hypnose thérapeutique (Erickson)

Pour les professionnels de la santé mentale :

- La gestion du stress et des performances
- Les secrets de la pratique privée

Pour plus d'informations, visitez le site Internet suivant : http ://www.paulhubertlegault.com.

Table des matières

Imprimé sur du papier Quebecor Enviro 100 % postconsommation,
traité sans chlore, accrédité Éco-Logo et fait à partir de biogaz.

certifié | procédé sans chlore | 100 % post-consommation | archives permanentes | énergie biogaz